編著
阿部 恵

ナツメ社

本書には DVD と CD の2つの付録がついています。

1 見て覚える DVD

メインメニュー画面

DVDをDVDプレーヤーで再生すると、オープニング映像に続き、メインメニュー画面が表示されます。見たいものを選ぶと、曲名の画面に切り替わります。

サブメニュー画面

「全曲」を選ぶと、その画面に表示されている全曲の遊び方の映像が続いて流れます。どれか1つの曲を選ぶと、その曲の遊び方の映像が流れ、サブメニュー画面に戻ります。

遊 び 方

曲名と作詞・作曲者名の画面の後に、遊び方の映像が流れます。画面の下に歌詞が表示されます。子どもたちが楽しく遊んでいる映像に続いて、お手本の映像が流れる曲もあります。

CDには本書掲載の全68曲、DVDにはその半数の遊び方の映像が収められています。

DVDの収録番号と対応しています。

CDのトラックナンバーと対応しています。

2 動きを確認する イラスト

腰やひざでリズムをとりながら、右手を波のように左へ動かす。

同じように左手を右へ動かす。

本書では、遊び方を楽しいイラスト（カラーページは写真）で解説しています。歌詞と合わせながら、動きをひとつずつ確認できるので、わかりやすいでしょう。DVDに収録している曲にもイラストをつけました。

3 聴いて遊ぶ CD

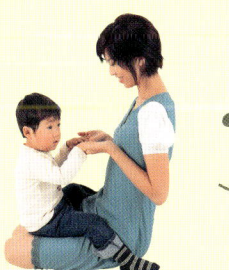

CDプレーヤーで再生すると、ピアノ伴奏付き（一部はリズム音など）の歌を楽しむことができます。新しい歌を覚えたり、歌に合わせて遊んだりするときに使ってください。

DVDをご使用になる前にお読みください

【再生時のご注意】
■本DVDは、DVDプレーヤーでご覧になれます。詳しい操作方法については、ご利用の機器の取扱説明書をご確認ください。
■このディスクはコピーガード処理をしてあります。

【健康上のご注意】
■本DVDをご覧いただく際には、部屋を明るくし、画面に近づき過ぎないようにしてください。
■長時間続けてのご鑑賞は避け、適度に休憩をとってください。

【取り扱い上のご注意】
■ディスクには両面とも、指紋や汚れ、キズなどをつけないようにしてください。
■ディスクには両面とも、鉛筆やボールペン、油性ペンなどで文字や絵を書いたり、シールなどを貼らないでください。
■ディスクが汚れた時は、メガネ拭きのような柔らかい布で内周から外周に向けて放射線状に軽く拭き取ってください。
■ひび割れや変形、または接着剤などで補修したディスクは、危険なので絶対に使用しないでください。

【保管上のご注意】
■直射日光の当たる場所や高温・多湿の場所には保管しないでください。
■本DVD及び本書は著作権上の保護を受けております。DVDあるいは本書の一部、または全部について、権利者に無断で複写、複製、放送、インターネットによる配信、公の上映、レンタル（有償、無償問わず）することは法律により禁じられています。

片面一層

もくじ

DVD	CD		page
		★DVD・CDの使い方	002
2	4	一本ばし二本ばし	006
16	23	ねこのこ	008
24	36	ちょちょちあわわ	010
31	51	とんがり山のてんぐさん	012
34	68	八百屋のお店	014
COLUMN		★たのしくあそぶコツ❶	016

PART 1　てゆびであそぼう　017

DVD	CD		page
	1	あおむしでたよ	018
1	2	いちにさん	020
	3	いっぴきの野ねずみが	022
3	5	1丁目のドラねこ	024
	6	こどもとこどもがけんかして	026
4	7	コロコロたまご	028
	8	とうさんゆびどこです	032
	9	なかよしさん	034
5	10	はじまるよはじまるよ	036
6	11	八べえさんと十べえさん	040
7	12	ピクニック	042
8	13	むすんでひらいて	046

PART2　からだであそぼう　049

DVD	CD		page
9	14	あじのひらき	050
10	15	いとまき	052
11	16	おおきなくりのきのしたで	054
12	17	おべんとうばこのうた	056
13	18	かわずのよまわり	058
14	19	きんぎょさんとめだかさん	060
15	20	コンちゃんがばけたとさ	062
	21	小さな庭	064
	22	とんとんとんとんひげじいさん	068
17	24	のぼるよコアラ	070
18	25	パンパンサンド	072
19	26	まあるいたまご	074
	27	山小屋いっけん	078
COLUMN		★たのしくあそぶコツ❷	080

PART 3　タッチしてあそぼう　081

DVD	CD		page
	28	あがりめ　さがりめ	082

004

20	29	あたまかたひざポン	084
21	30	あたまてんてん	086
	31	アルプス一万尺	088
22	32	１本橋こちょこちょ	092
	33	おちゃらか	094
23	34	お寺のおしょうさん	096
	35	おはなのすべりだい	100
25	37	どどっこやがい	102
	38	なべなべそこぬけ	104
	39	ぼうずぼうず	106
	40	ゆらゆらタンタン	108
	COLUMN	★たのしくあそぶコツ❸	112

PART 4　ゲームみたいにあそぼう　113

	41	おちたおちた	114
	42	おてんきジャンケン	116
	43	グーチョキパーでなにつくろう	118
	44	げんこつ山のたぬきさん	122
26	45	ごんべさんの赤ちゃん	124
27	46	正月さんのもちつき	126
	COLUMN	★たのしくあそぶコツ❹	129
	47	だいくのキツツキさん	130
28	48	だるまさん	132
29	49	チェッチェッコリ	134
30	50	ちゃつぼ	136
	52	なぞなぞむし	138
32	53	ピコピコテレパシー	140
	54	ピヨピヨちゃん	142
	COLUMN	★たのしくあそぶコツ❺	144

PART 5　みんなであそぼう　145

	55	あなたのおなまえは	146
	56	あぶくたった	148
	57	おかたづけ	150
	58	おせんべやけたかな	152
	59	鬼のパンツ	154
	60	かごめかごめ	156
	61	かわのきしのみずぐるま	158
	62	ことしのボタン	160
	63	ずいずいずっころばし	164
	64	セブンステップス	166
33	65	てをたたこう	168
	66	どんどんばし	170
	67	ひらいたひらいた	172
		★さくいん	174

一本ばし二本ばし

かんたんでだれもが楽しめる手遊び。一本ばし（人差し指）と一本ばし（人差し指）でお山ができてしまいます。このシンプルさに感動です。この楽しさをみんなで共有しましょう。

この曲はDVD、CDで楽しんでいただきやすいように「PART1 てゆびであそぼう」のグループに入れ、それぞれのグループ内の番号をつけています。

> いっぽんばし いっぽんばし

> おやまに なっちゃった

> にほんばし にほんばし

> めがねに なっちゃった

1
人差し指を片方ずつ出し、指先を合わせる。

2
2本の指を片方ずつ出し、目にあてる。

【遊びかた】	0〜3歳児→0歳児には、大人が目の前で見せてやりましょう。一緒に遊ぶときには、ゆっくり確かめるように行います。	4〜5歳児→最初はゆっくりリードします。慣れてきたらテンポをあげて軽快に遊びましょう。
【ポイント】	0〜3歳児→リズミカルに表情豊かに遊びましょう。子どもたちは、一緒に遊んでくれる大人の表情もよく見ていますよ。	4〜5歳児→子ども達同士で対面しながら遊んでも、楽しめます。お互いの表現がゆかいで楽しさ倍増です。
【アレンジ】	遊びに慣れたら、一本ばしから四本ばしまでは同様にうたい、最後の五本ばしを変化させてみましょう。「ちょうちょう」「おみみ」「マスク」「テント」「おすもうさん」「おばけ」など、子どもたちとも考えてみると良いでしょう。	

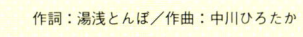

♪いっぽんばし　いっぽんばし　おやまになっちゃった
♪にほんばし　にほんばし　めがねになっちゃった
♪さんぼんばし　さんぼんばし　くらげになっちゃった
♪よんほんばし　よんほんばし　おひげになっちゃった
♪ごほんばし　ごほんばし　ことりになっちゃった

3 3本の指を片方ずつ出し、おなかの前で左右にゆらす。

4 4本の指を片方ずつ出し、ほおにあてる。

4 5本の指を片方ずつ出し、上下にひらひらさせる。

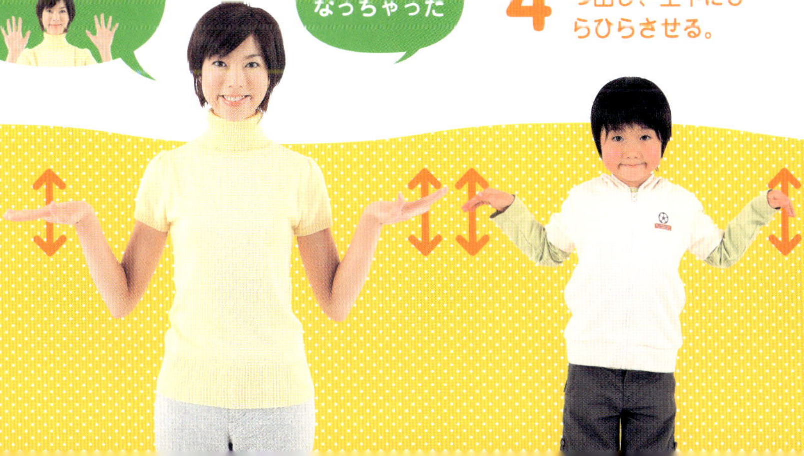

ねこのこ

年齢に合わせたテンポで遊べる、やさしさいっぱいの歌遊び。♪わたしは ねこのこ ねこのこ と両耳のポーズを作っただけで、もう、ネコの子の気分です。リードしている大人も心癒されますね。

この曲はDVD、CDで楽しんでいただきやすいように「PART2 からだであそぼう」のグループに入れ、それぞれのグループ内の番号をつけています。

わたしは

1 自分を指差す。

おめめが くりくりくり

3 人差し指と親指で輪を作り、目にあてる。

ねこのこ ねこのこ

2 ネコが手招きをするしぐさをする。

【遊びかた】	0〜3歳児→大人と子どもが対面して遊びましょう。「かわいいネコの赤ちゃんですよ」こんな呼びかけで始めます。	4〜5歳児→かわいいネコの子やイヌの子をイメージして、それぞれなりきって遊ぶと、より楽しめます。
【ポイント】	0〜3歳児→最初はゆっくり、慣れたら少しずつテンポをあげます。「かわいいね」と認めることばかけを忘れずに。	4〜5歳児→一人ひとりのネコやイヌのイメージを認め合いながら遊びましょう。みんなでねっこも楽しいですね。
【アレンジ】	リスの子やブタの子、キツネの子などでも遊んでみましょう。また、♪わたしはゆみちゃんゆみちゃんおめめがくりくりくり えがおでにこ えがおでにこ にこにこにこ こんなふうな替え歌でも遊べます	

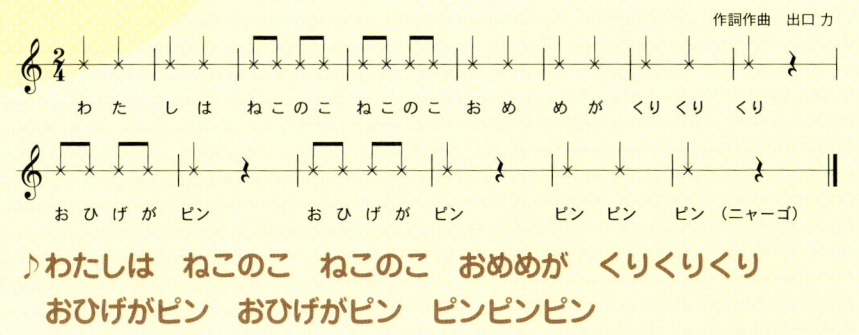

作詞作曲　出口 力

♪わたしは　ねこのこ　ねこのこ　おめめが　くりくりくり
　おひげがピン　おひげがピン　ピンピンピン

原曲はメロディ付きですが、保育現場でアレンジされ、唱え歌風にうたわれていますので、そのリズム譜で紹介しています。

おひげがピン

おひげがピン

4
右人差し指を鼻のわきにつけ、ひげを伸ばすように動かす。左も同じようにする。

ピンピンピン

5
4の動作を右、左、右と3回行う。

2を「いぬのこ いぬのこ」に変えて遊んでみましょう。

ちょちちょちあわわ

この曲はDVD、CDで楽しんでいただきやすいように「PART 3 タッチしてあそぼう」のグループに入れ、それぞれのグループ内の番号をつけています。

子どもにとっても大人にとってもふれあいが楽しいわらべ歌遊びです。身近な大人の人の、ひざの上に乗って遊ぶ。その状況そのものが、子どもにとってこころ安定する、ひとときになります。

ちょちちょち

1 子どもの手をとる。

2 手を口にあてる。

あわわ

【遊びかた】	0〜3歳児→子どもをひざの上にのせて、向かい合って遊びます。大人が子どもの手を取って歌に合わせて動かします。	4〜5歳児→二人組で遊びます。♪ちょちちょち　の部分は手を取り合って上下し、あとはお互いに相手の体をさわります。
【ポイント】	0〜3歳児→ゆっくりひざの上でリズムを取りながらやってあげると、子どもは大喜び。大人の優しい表情も大切です。	4〜5歳児→いろいろな友達とふれあって遊びましょう。♪とっとのめは、相手のめじりをさわってもいいでしょう。
【アレンジ】	0歳児の場合には、大人が赤ちゃんの手を持ってうたいながら大人の顔をさわらせても楽しいでしょう。4〜5歳児には低年齢の子にやってあげましょう。	

わらべうた

♪ちょちちょち　あわわ　かいぐりかいぐり　とっとのめ
　おつむ　てんてん　ひじ　ぽんぽん

3 かいぐりをする。

4 人差し指を手のひらにつける。

5 手を頭にあてる。

6 ひじをかるくたたく。

とんがり山のてんぐさん

この曲はDVD、CDで楽しんでいただきやすいように「PART4 ゲームみたいにあそぼう」のグループに入れ、それぞれのグループ内の番号をつけています。

あるところにとんがり山がありました。そのお山には天狗さんが住んでいましたよ。天狗さんが、うちわを持って見渡していると…。こんな、話をしてから遊びましょう。♪スイースイー 楽しいですよ。

とんがり

1 右親指を横向きに出し、「やまの」で立てる。

てんぐさんが

2 両手をにぎっててんぐの鼻にする。

やまの

うちわをもって

3 右手のうちわであおぐしぐさをする。

【遊びかた】	0〜3歳児→大人がリードし、子どもたちと楽しく遊びましょう。まねっこ遊びとしても楽しめます。	4〜5歳児→天狗やかっぱになって遊びます。「ばあ」のところは近くの子と顔を見合わせると楽しいです。
【ポイント】	0〜3歳児→「ばあ！」のところは、いないいないばあ と同じように、子どもの顔の前でやってあげるといいでしょう。	4〜5歳児→動作を大きくダイナミックに遊びましょう。最初から二人組でも遊んでも楽しめます。
【アレンジ】	♪スイースイー スイースイー と泳ぐところは、子どもたちと話し合って平泳ぎの動きだけでなく、クロールや、バタフライ、背泳ぎ、いぬかきなどでも遊んでみましょう。	

八百屋のお店

集団で遊べる楽しい歌遊び。参加人数が多ければ多いほど盛り上がります。神経を集中させ、リーダーの声をよく聞いて判断しますが、間違ってもご愛敬。間違う人がいるから、楽しいのです。

この曲はDVD、CDで楽しんでいただきやすいように「PART 5 みんなであそぼう」のグループに入れ、それぞれのグループ内の番号をつけています。

「やおやの おみせに ならんだ」

1 リズムに合わせて手を8回たたく。

「よくみて ごらん」

「しなもの みてごらん」

2 両手を目にあて、のぞくようなしぐさをする。

3 あれこれと指差しぐさをする。

【遊びかた】	0〜3歳児→わかりやすい野菜のペープサートを作って大人がうたいながら見せてあげる方法で遊ぶとよいでしょう。	4〜5歳児→大人（リーダー）の挙げる野菜を子ども達が復誦します。八百屋にないものが出たら「あ〜あ」と終わります。
【ポイント】	0〜3歳児→子どもたちの大好きな果物で遊んでも楽しめます。最初はゆっくり、慣れたら復誦もしてみましょう。	4〜5歳児→慣れたらテンポアップにしたり、子どもたちが交互にリーダーになったりして遊ぶこともできます。
【アレンジ】	八百屋さんや果物屋さんだけでなく、パン屋さん・ケーキ屋さん・夜店屋さん・電気屋さんなどでも、遊んでみましょう。たくさん遊んだらお店やさんごっこに発展させるのも良いでしょう。	

作詞不詳／フランス民謡

♪やおやの　おみせにならんだ　しなもの　みてごらん
よくみてごらん　かんがえてごらん　アーアー

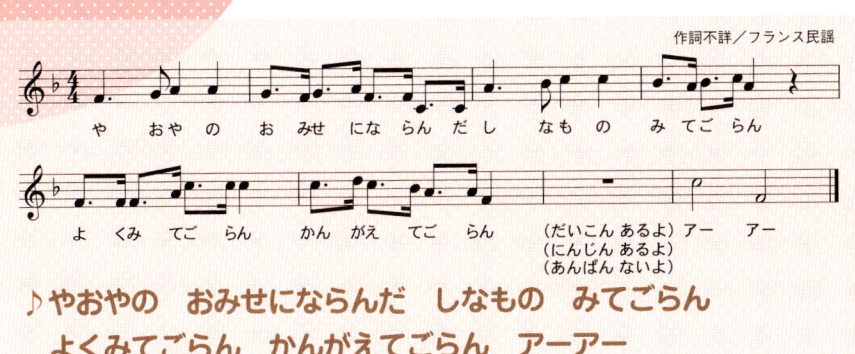

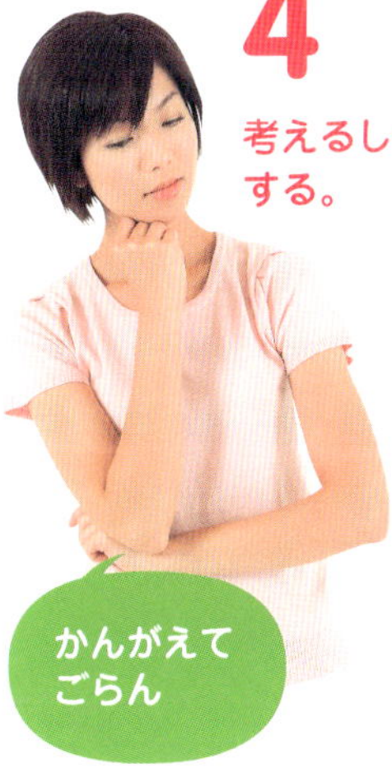

4 考えるしぐさをする。

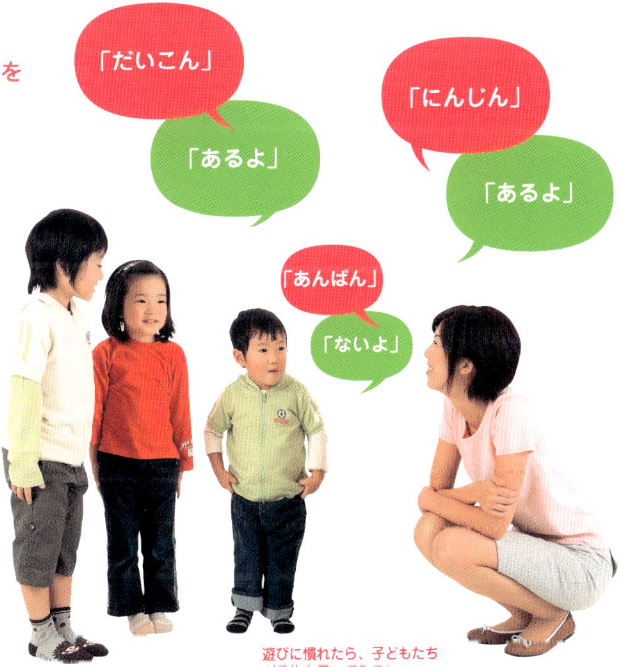

5 やおやにある(ない)ものを言う。

遊びに慣れたら、子どもたちが品物を言ってみましょう。

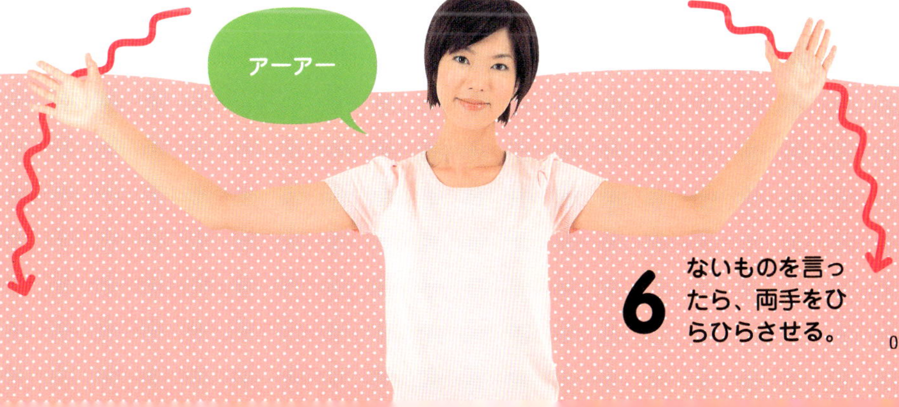

6 ないものを言ったら、両手をひらひらさせる。

COLUMN

たのしくあそぶ コツ １

歌や振りは変わっていくもの。
遊びのパターンは無限。

手遊び歌遊びは口から口へ、見よう見まねで伝わっていくもの。歌詞も、メロディも、振りも遊び継がれていくうちに、うたいやすく、動作しやすく自然と変わっていくものです。ですから、本書で取り上げた手遊び歌遊びも例外ではありません。あなたの知っている、今遊んでいるやり方と少し違っているかもしれません。あまり気にせずにあなたのやり方で楽しんでください。

また、たくさん遊んでいくと、ちょっとしたアレンジが子どもたちに受け入れられたり、バリエーションのほうが本来の遊びより広まったりします。遊びのパターンは無限といってもけして大げさではありません。本書の遊びのヒントが、どこかでまた新たなものとして大活躍する可能性もあります。多くの方の支持を得て、たくさんの子どもたちに遊ばれることを願っています。

PART-1
てゆびで あそぼう

> みんな大好き!

手指がカニさんやちょうちょになったり、
ネコとネズミがおいかけっこをはじめたり。
次はどうなる? 期待のふくらむ遊びがたくさん!
子の成長を願う思いもつまっています。

てゆびであそぼう

あおむしでたよ

両手を交互に握るとかわいいキャベツに。そのキャベツの中からあおむしが出てきます。父さんあおむし・母さんあおむし・兄さんあおむし…と。そして最後は…。期待がふくらむ楽しい手遊びです。

1番

1 キャベツのなかから あおむしでた

右手をパー、左手をグーにして合わせる。次に左手をグー、右手をパーにして合わせる。リズムに合わせてくり返す。

2 よ

グーとグーを合わせる。

---

3 ピッピッ

右親指を立て、続けて左親指を立てる。

4 とうさん あおむし

親指を立てたまま、左右に振る。

てゆびであそぼう

作詞・作曲不詳

♪キャベツのなかから　あおむしでたよ　ピッピッ　とうさんあおむし

2番：かあさんあおむし／3番：にいさんあおむし／4番：ねえさんあおむし／5番：あかちゃんあおむし／6番：ちょうちょになりました

6番

両手の親指を合わせて、ひらひらさせる。

	0〜3歳児	4〜5歳児
遊びかた	赤ちゃんの前でゆっくり表情豊かにやってあげましょう。2〜3歳児はできるところをまねっこしましょう。	リズミカルに遊びます。♪ピッピッと指を出すところは、みんな大好き。アクセントをつけて出しましょう。
ポイント	語るようにうたいながら、動作もゆっくり行います。子どもたちの好きな♪ピッピッでは大人もいっしょに楽しく遊びましょう。	軽快に遊んで最後の　♪ちょうちょうになりました　は、ひらひらと飛び回っても楽しいでしょう。
アレンジ	動作を大きくしてジャンボキャベツから、ジャンボあおむしを出して遊んでみましょう。♪ジャンボキャベツの　なかから　あおむしでたよ　ボンボン　ジャンボあおむし　とうたいます。最後は、ジャンボちょうちょう　になります	

019

てゆびであそぼう

いち に さん

昔から遊び継がれてきたわらべうた遊び。数に興味を持って、手を使うことで頭のよい子に育ちますように、といった願いが込められています。その願いを込めてやさしい気持ちで遊びましょう。

1 いち　　**2** に　　**3** さん　　**4** にの

※歌詞の数に合わせて、指を出していく。

5 しの　　**6** ご　　**7** さん　　**8** いち

てゆびであそぼう

わらべうた

♪いち に さん にの しの ご
　さん いち にの しの にの しの ご

	0〜3歳児	4〜5歳児

😊 遊びかた	3歳児くらいから遊んでみましょう。歌詞に合わせて指を出します。最初はやりやすい利き手から。慣れてきたら反対の手。次は両手でと遊びます。テンポも最初はうんとゆっくり、徐々に速くしていきましょう。
😮 ポイント	慣れてきたから何でもテンポを速くするというのではなく、みんなでうたう歌声も聞きながら遊んでみましょう。歌声がそろうと耳に心地よくひびきます。最初は1番としてうたって、2番に動作を入れてもいいでしょう。
😁 アレンジ	自分の右手と左手を ♪いち に さん… と指を合わせて遊ぶこともできます。うんとなれたら、二人で向かい合って交互に両手を出して遊ぶこともできます。高齢者の方との交流の会でも活躍してくれる手遊びです。

てゆびであそぼう

いっぴきの野ねずみが

♪チュチュチュ… がかわいくて人気の手遊びです。ねずみが増えるたびに ♪チュチュチュ… の繰り返しが増えますから、子どもたちは大喜びします。リラックスして遊びましょう。

1番
1 いっぴきの

右人差し指を立てて、後ろから出す。

2 のねずみが

2と同じように左人差し指を出す。

3 あなぐらのなかで

両手で輪を作り、揺らす。

4 チュチュチュチュチュチュ
チュチュチュチュ

左右の人差し指を交互に打ち合わせる。

5 おおさわぎ

両手をひらひらさせながら上から下におろし、後ろに隠す。

てゆびであそぼう

作詞：鈴木一郎　外国曲

♪ 1ぴきの　のねずみが　あなぐらの　なかで　チュチュチュチュチュ
　チュチュチュチュ　おおさわぎ

2番：2ひきの／3番：3びきの／4番：4ひきの／5番：5ひきの

2番
にひきの
のねずみが

5番
ごひきの
のねずみが

2〜5番まで、指を1本ずつ増やしていく。4のところは、2番は2回、3番は3回……5番は5回繰り返す。5は、1〜5番まで同じ。

	0〜3歳児	4〜5歳児
遊びかた	大人がリードして楽しく遊びましょう。2〜3歳の子は、遊べるところをまねて遊びます。	ねずみが増えると歌がどんどん長くなりますから、リズミカルにうたいながら遊びましょう。
ポイント	♪チュチュチュ…おおさわぎ のところだけでも楽しく遊べます。数にはこだわらなくてもよいでしょう。	♪チュチュチュ… を歯切れよくうたい、また繰り返しの頭の部分を少し強くうたうと遊びやすくなります。
アレンジ	5番が終わったらテンポを落として ♪5ひきの　のねずみが　あなぐらの　なかで　スヤスヤスヤスヤ…と　いねむりしてるのほほにあてて静かに終わることもできます。	（シー）　と、両手を左右

てゆびであそぼう

1丁目のドラねこ

明るくてワクワクする手遊びです。指からドラねこやクロねこ、ミケねこ、トラねこ、追いかけられるねずみがイメージできるなんてステキですね。表情豊かに楽しく遊びましょう。

1 1ちょめの ドラねこ

右人差し指で左親指に触れる。

2 2ちょめの クロねこ

同じように左人差し指に触れる。

3 3ちょめの ミケねこ

左中指に触れる。

4 4ちょめの トラねこ

左薬指に触れる。

5 5ちょめの ネズミは

左小指に触れる。

6 おいかけられて あわてて にげこむ

両手の人差し指をそろえ、4回曲げながら右へ、同じように左へ動かす。

てゆびであそぼう

作詞・作曲・振付：阿部直美

♪1ちょめの ドラネコ
2ちょめの クロねこ
3ちょめの ミケねこ
4ちょめの トラねこ
5ちょめの ネズミは
おいかけられて
あわてて にげこむ
あなのなか
ニャオー

7 あなのなか

左手を軽く握り、右人差し指を入れる。

8 ニャオー

両手を上げてネコの耳の形をつくる。

	0～3歳児	4～5歳児
😊 遊びかた	大人が見せてあげましょう。2〜3歳であれば部分的に遊べます。一緒に楽しむ気持ちで。	最初は歌詞の情景をイメージできるように、ゆっくりとしたテンポで遊びましょう。
😮 ポイント	♪ニャオー は、子どもたちも大好き。タイミングを計って大人も一緒に遊びましょう。	ねずみがねこに追いかけられるところは、左右に2回タイミングよく切り替えると感じが出ます。
😁 アレンジ	5人一組になりそれぞれの役を決めます。みんなでうたいながら、それぞれにポーズをとります。最後に、ねこはねずみを追いかけ、手をつないだ輪の中に入れて ♪ニャオー とポーズをとる表現遊びをしてみましょう	

てゆびであそぼう

こどもとこどもがけんかして

子どもたちに「けんかをしても周囲の人さまはちゃんと見ているからね」と伝えたい親の気持ちが込められている遊びに思えるのですが、どうでしょう。親は怒っていますが、少しユーモラスに感じますね。

1 こどもとこどもが　けんかして

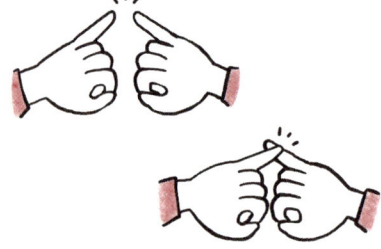

左右の小指を立て、前後を入れ替えながら打ち合わせる。

2 くすりやさんが　とめたけど

左右の薬指を立て、指先を打ち合わせる。

3 なかなかなかなか　とまらない

左右の中指を立て、指先を打ち合わせる。

4 ひとたちゃ　わらう

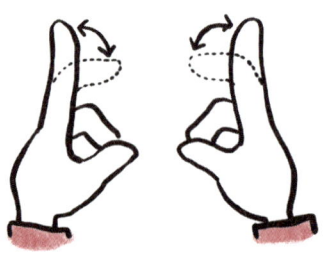

左右の人差し指を立て、曲げたり伸ばしたりする。

てゆびであそぼう

わらべうた

♪こどもとこどもが　けんかして　くすりやさんが　とめたけど
　なかなかなかなか　とまらない　ひとたちゃ　わらう　おやたちゃ　おこる

5 おやたちゃ
　　おこる

（プンプン）

左右の親指を立て、指先を
打ち合わせる。

親指を立てたまま、外側に
開く。

	0〜3歳児	4〜5歳児

😊 遊びかた	遊びながら指の名前も確認してみましょう。遊びは両手の指と指を合わせるだけで単純ですが、指先の発達がまだ十分でない子どもたちには意外と難しい遊びとなります。指先の発達を促す遊びともいえます。
😮 ポイント	メリハリをつけて遊ぶといいでしょう。♪こどもとこども… は元気よく。♪くすりやさん… は優しく。♪なかなかは… はちょっと突き放した感じで。♪ひとたちゃ… はゆかいに。♪おやたちゃ… は怒った感じで。
😄 アレンジ	最後の　♪おやたちゃ　おこる　の次を、　プン　プン　プン！　としても楽しいでしょう。親指を打ち合わせたままで、プン　プン　と片方ずつ手首を返して親指を外の向け、終わりは、またもとの形に戻してプン！　と両手首を返します。

てゆびであそぼう

コロコロたまご

リズミカルでテンポのある展開がうれしい手遊びです。たまごからひよこ、コケコ（ニワトリ）と、あっという間に成長するのは手遊びならでは。コロコロたまごファンがまた増えることでしょう。

しぐさのポイント

たまご

手を握ってグーの形にする。

ひよこ

人差し指と親指を伸ばしてつけたり離したりする。

コケコ

4本の指をそろえて親指とつけたり離したりする。

てゆびであそぼう

作詞・作曲不詳

♪コロコロたまごは　おりこうさん　コロコロしてたら　ひよこになった
♪ピヨピヨひよこは　おりこうさん　ピヨピヨしてたら　コケコになった
♪コロコロ　ピヨピヨ　コケコッコー　コケコがないたら　よが　あけた

原曲は、まどみちお作詞・則武昭彦作曲「ころりんたまご」です。保育現場でアレンジされ、広く親しまれていますので、その詞とメロディで紹介しています。

1番

1 コロコロ たまごは

両手の〈たまご〉を左右に動かす。

2 おりこうさん

左手の〈たまご〉を右手でなでる。

3 コロコロ してたら

両手の〈たまご〉を左右に動かす。

4 ひよこに なった

両手で〈ひよこ〉の動き。

2番

5 ピヨピヨ
ひよこは

両手の〈ひよこ〉を左右に
動かす。

6 おりこうさん

左手の〈ひよこ〉を右手で
なでる。

7 ピヨピヨ
してたら

両手の〈ひよこ〉を左右に
動かす。

8 コケコに
なった

両手で〈コケコ〉の動き。

3番

9 コロコロ

両手の〈たまご〉を左右に
動かす。

10 ピヨピヨ

両手で〈ひよこ〉の動き。

てゆびであそぼう

11 コケコッコー

両手で〈コケコ〉の動き。

12 コケコがないたら

両手の〈コケコ〉を左右に動かす。

13 よが

両手を下に下げる。

14 あけた

手をひらひらさせながら下ろす。

	0〜3歳児	4〜5歳児
😊 遊びかた	0〜1歳児には楽しくうたって動作を楽しませてやりましょう。2〜3歳児はまねっこ遊びです。	動きがやや複雑ですから初めはゆっくりとしたテンポで遊んで、動作をしっかり覚えましょう。
😮 ポイント	リズムを意識しすぎて、横に振りすぎると子どもたちからは動きをとらえにくくなりますので注意しましょう。	たまご・ひよこ・コケコの動きを楽しみながら、気持ちを込めて遊びましょう。
😆 アレンジ	遊びの最後 ♪コケコがないたら よがあけた のあとに「コケコッコー、朝ですよ！」と、入れてもいいでしょう。動作は両手を体のわきにつけてバタバタと動かしながら朝を告げます。	

てゆびであそぼう

とうさんゆびどこです

♪とうさんゆび　どこです　という呼びかけで、お父さん、お母さんと順に家族が登場する、楽しい手遊びです。やさしい繰り返しですから、安心して遊べます。

1 とうさんゆび どこです

両手を後ろに隠す。

2 ここよ

右手親指を立てながら前に出す。

3 ここよ

左手親指を立てながら前に出す。

4 ごきげんいかが

右手親指を曲げる。

5 ありがと みなさん

左手親指を曲げる。

6 さようなら さようなら

両手親指をふりながら後ろに隠す。

てゆびであそぼう

作詞不詳 外国曲

♪<u>とうさんゆび　どこです　ここよ　ここよ　ごきげんいかが
ありがとみなさん　さようなら　さようなら</u>

2番：かあさんゆび／3番：にいさんゆび／4番：ねえさんゆび／5番：あかちゃんゆび

2番から5番まで、指を変えていく。

2番	<u>人差し指</u>	かあさんゆび	どこです→	ここよ　ここよ
3番	<u>中指</u>	にいさんゆび	どこです→	ごきげんいかが
4番	<u>薬指</u>	ねえさんゆに	どこです→	ありがと　みなさん
5番	<u>小指</u>	あかちゃんゆび	どこです→	さようなら　さようなら

0〜3歳児　　　　4〜5歳児

☺ 遊びかた	ゆっくりとうたいながら遊んでみましょう。指そのものを、五体の家族指人形と見立てて体の後ろから舞台に登場させましょう。
☺ ポイント	お父さん、お母さん、お兄さん、お姉さん、赤ちゃんを意識して、動きや指の表情を出してみましょう。楽しい遊びになりますよ。
☺ アレンジ	二人（A・B）で向かい合って遊ぶこともできます。お互いに右手を使います。♪とうさんゆびどこです（A・B）　ここよ（A）　ここよ（B）　ごきげんいかが（A）　ありがとみなさん（B）　さようなら（A）　さようなら（B）と遊びます。

033

てゆびであそぼう

なかよしさん

やさしい指遊びで遊びましょう。♪みんな　そろって　はい　なかよしさん　遊びながら家族の暖かさや、なかよくすることの大切さが伝わったらいいですね。

---

1 おとうさんと

右人差し指で左親指に触れる。

2 おかあさん

1と同様に、人差し指に触れる。

---

3 なかよしさん

左親指と人差し指の先をつけ合う。

4 おとうさんとおにいさん　なかよしさん　おとうさんと　おねえさんなかよしさん　おとうさんとあかちゃん　なかよしさん

1～3の動作を、左手の指を変えながら行う。

作詞：阿部恵　作曲：家入脩

てゆびであそぼう

♪おとうさんと　おかあさん　なかよしさん　おとうさんと　おにいさん　なかよしさん
　おとうさんと　おねえさん　なかよしさん　おとうさんと　あかちゃん　なかよしさん
　みんな　そろって　はい　なかよしさん

5 みんなそろってはい

右人差し指で左親指から小指まで1本ずつ触れていく。

6 なかよしさん

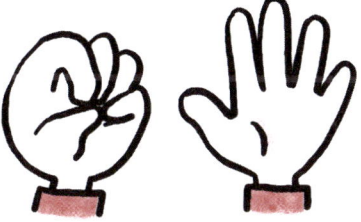

左手5本の指をリズムに合わせてつけたり広げたりする。

	0～3歳児　　　　4～5歳児
😊 遊びかた	やさしくうたいながら、順に指を合わせます。最後はみんな一緒に合わせます。遊びに慣れたら、反対の手でも遊んでみましょう。指先の発達にも役立ちます。
😮 ポイント	表情豊かに遊びましょう。手を顔の前にして遊ぶと、子どもたちからリーダーの表情を感じながら遊ぶことができます。
😄 アレンジ	慣れたら左右両手で同時に遊んでみましょう。♪おとうさんと　おかあさんのところは、両手の親指と人さし指を少し動かしてアピールします。♪なかよしさん　は同様。♪みんなそろって…　は両方の手の指先を合わせます。

てゆびであそぼう
はじまるよはじまるよ

♪はじまるよったら　はじまるよ…　紙芝居や絵本などのオープニングにピッタリの手遊び。明るく期待のもてる活動の導入にうたうので、子どもたちにも人気です。

1番

1 はじまるよったら　はじまるよ

右側と左側で3回ずつ手をたたく。

2 はじまるよったら　はじまるよ

1と同じ。

3 いちと

右手人差し指を立てて前に出す。

4 いちで

左手人差し指も立てて前に出す。

5 にんじゃさん

片手の人差し指を握って忍者のポーズ。

6 ドローン

横にはらう。

作詞・作曲不詳

てゆびであそぼう

はじまるよっ たら はじまるよ　はじまるよっ たら はじまるよ
い ち と い ち で にんじゃ さ ん　（ドローン）

♪はじまるよったら　はじまるよ　はじまるよったら　はじまるよ
　いちといちで　にんじゃさん　ドローン

2番：にとにて　かにさんよ　チョキーン／3番：さんとさんで　ねこのひげ　ニャオーン／4番：よんとよんで　たこのあし　ヒューン／5番：ごとごで　てはおひざ

2番

7 はじまるよったら　はじまるよ

1と同じ。

8 はじまるよったら　はじまるよ

1と同じ。

9 にと

右手の指を2本立てて前に出す。

10 にで

左手の指も2本立てて前に出す。

11 かにさんよ

カニのはさみのように両手を左右に動かす。

12 チョキーン

はさみで切るように動かす。

037

3番

13 はじまるよったらはじまるよ 
1と同じ。

14 はじまるよったらはじまるよ 
1と同じ。

15 さんとさんで 
右手、次に左手の指を3本ずつ立てて前に出す。

16 ねこのひげ 
指をほおにあて、ネコのひげをつくる。

17 ニャオーン 
両手でネコの耳をつくる。（両手を横に払ってもよい）

4番

18 はじまるよったらはじまるよ 
1と同じ。

19 はじまるよったらはじまるよ 
1と同じ。

20 よんとよんで 
右手、次に左手の指を4本ずつ立てて前に出す。

21 たこのあし 
指をからだの前でゆらす。

22 ヒューン
横にはらう。

23 はじまるよったら はじまるよ (5番)
1と同じ。

24 はじまるよったら はじまるよ
1と同じ。

25 ごとごで
右手、次に左手の指を5本ずつ立てて前に出す。

26 てはおひざ
両手をひざのうえにおろす。

	0〜3歳児	4〜5歳児
😊 遊びかた	リズムに乗って楽しく遊びましょう。歌の最後の「ドローン」「チョキーン」「ニャオーン」「ヒューン」は、それぞれ歯切れよく行います。	
😮 ポイント	♪はじまるよったら　はじまるよ… は期待を込めて元気に。♪いちと　いちで は落ち着いた表現を。♪「ドローン」は次の2番に、ポーンと飛ぶ感覚で行うといいでしょう。	
😆 アレンジ	絵本や紙芝居などのプログラムに合わせて5番を ♪はじまるよったら　はじまるよ　はじまるよったら　はじまるよ　ごと　ごで　かみしばい（拍手）などと遊んでもいいでしょう。	

てゆびであそぼう

てゆびであそぼう

八べえさんと十べえさん

DVD 6　CD 11

一人二役で行う愉快な指遊び。子どもたちだけでなく、大人も楽しくなる要素がたくさん入っています。子どもたちはどの場面を一番喜ぶのでしょう。さあ、一緒に遊んでみましょう。

1　はちべえさんと

両手人差し指で「八」の字を作る。

2　じゅうべえさんが

両手人差し指で「十」の字を作る。

3　けんかして

両手人差し指を互い違いに打合わせる。

4　おってけにげてけ　おってけにげてけ…

右人差し指を立てて右方向へ上下に動かし、左人差し指は曲げながらそれを追う。続けて左、また右、左に同じように動かす。

5　いどのなかにどぼんとおちて

左手を軽く握って輪をつくり、右人差し指を上から入れる。

てゆびであそぼう

わらべうた

〈語りかけるように〉
ちょっと あたま だしたら ピンと たたかれた おいててて おいててて

♪はちべえさんと　じゅうべえさんが　けんかして　おってけにげてけ　おってけにげてけ
　おってけにげてけ　おってけにげてけ　いどのなかに　どぼんとおちて
　ちょっとあたまだしたら　ピンとたたかれた　おいててて　おいててて

6 ちょっと
あたまだしたら

右人差し指を下から入れる。

7 ピンと
たたかれた

右手で左手を上からたたく。

8 おいててて
おいててて

頭に手をあてる。

	0～3歳児	4～5歳児
遊びかた	子どもと対面して大人が見せてあげましょう。2～3歳児はまねっこで遊びます。	八べえささんと十べえさんの動作は、漢字の「八」と「十」を表していることを伝えましょう。
ポイント	ゆっくりとやさしく語りかけるように、うたいます。その際、豊かな表情を忘れないようにしましょう。	慣れたらテンポよく、それぞれの子の表現を認め合って楽しんでみましょう。
アレンジ	小さい八べえささんと十べえさん、大きい八べえささんと十べえさんでも遊んでみましょう。小さい方は、人差し指の先で遊びます。大きいほうは、両腕と全身を使ってダイナミックに遊びます。	

てゆびであそぼう

ピクニック

DVD 7　CD 12

軽快で子どもたちが大好きな歌遊びです。おいしい物をたくさん食べてパワーをためて、最後はおむすびをにぎってみんなでピクニックに行きましょう。ですから嫌いなはずはありませんね。

---

1 ごほんと

左手の指を5本立てる。

2 いっぽんで

右人差し指を立てる。

---

3 たこやきたべて

つまようじでお皿のたこやきを食べるしぐさをする。

4 ごほんと

1と同じ。

てゆびであそぼう

作詞・作曲不詳

ごほんといっぽんで　たこやきたべて　ごほんとにほんで　ラーメンたべて
ごほんとさんぼんで　ケーキをたべて　ごほんとよんほんで　カレーをたべて
ごほんとごほんで　おむすびにぎって　ピクニック　　　　ヘイ！

♪ごほんといっぽんで　たこやきたべて　ごほんとにほんで　ラーメンたべて　ごほんと
　さんぼんで　ケーキをたべて　ごほんと　よんほんで　カレーをたべて　ごほんと
　ごほんで　おむすびにぎって　ピクニック　ヘイ！

5 にほんで
右人差し指・中指を立てる。

6 ラーメンたべて
おはしでラーメンを食べる
しぐさをする。

7 ごほんと
1と同じ。

8 さんぼんで
右手の指を3本立てる。

043

9 ケーキをたべて

フォークでケーキを食べる
しぐさをする。

10 ごほんと

1と同じ。

11 よんほんで

右手の指を4本立てる。

12 カレーをたべて

指でカレーを食べるしぐさ
をする。

13 ごほんと

1と同じ。

14 ごほんで

右手の指を5本立てる。

15 おむすびにぎって

両手でおにぎりを握るしぐさをする。

16 ピクニック

足踏みをする。

17 ヘイ！

右手こぶしをあげる。

てゆびであそぼう

	0〜3歳児	4〜5歳児
😊 遊びかた	子どもと対面して大人が見せてあげます。2〜3歳児はまねっこで遊びます。	楽しくうたいながら遊びます。子どもたちの創意も遊びの中に生かしてみましょう。
😮 ポイント	たこ焼きやラーメンなどを食べるところは、子どもたちの口元に運んであげても楽しいでしょう。	♪ごほんと いっぽんで を、いっぽんとごほんで と、反対に歌ってもいいでしょう。
😆 アレンジ	おむすびをにぎるところは、あらかじめ何個持って行きたいか相談しておいて、♪おむすびにぎって おむすびにぎって おむすびにぎって ピクニック ヘイ！（3個の場合）と遊んでも楽しいでしょう。	

てゆびであそぼう

むすんでひらいて

DVD 8　CD 13

赤ちゃんから高齢者まで、広く親しまれている歌遊び。うたいはじめただけで、癒された気分になるのが不思議です。応用しやすいのも魅力です。みんなでリラックスした気持ちで楽しみましょう。

1 むすんで
両手を軽く握って、上下に4回振る。

2 ひらいて
両手を開いて、上下に4回振る。

3 てをうって
拍手を4回する。

4 むすんで
両手を軽く握って、上下に3回振る。

作詞不詳　作曲：J.J.ルソー

むーすーんーで　ひらーいーて　てをーうって　むーすんで
またひらいて　てを　うって　そのてを　うえ　に
むーすーんーで　ひらーいーて　てをーうって　むーすんで

てゆびであそぼう

♪むすんで　ひらいて　てをうって　むすんで　またひらいて　てをうって
そのてをうえに　むすんで　ひらいて　てをうって　むすんで

5 またひらいて
2と同じ。

6 てをうって
3と同じ。

7 そのてをうえに
両手を上げる。

そのてをあたまに　　そのてをまえに
そのてをよこに
7をアレンジしても楽しい。

8 むすんで
1と同じ。

9 ひらいて
2と同じ。

10 てをうって
3と同じ。

11 むすんで
4と同じ。

	0〜3歳児	4〜5歳児
😊 遊びかた	赤ちゃんを抱っこして、手を持って遊ぶこともできます。2〜3歳児はまねっこで遊びます。	リズムに乗って楽しく遊びます。最後はいろいろなポーズで決めてみましょう。
😮 ポイント	無理をしないように、軽く動かしてやりましょう。「上手にできたね」とほめながら遊びましょう。	自分たちで遊び方を工夫してみましょう。いろいろな楽しい遊びが生まれますよ。
😄 アレンジ	「足むすんでひらいて」でも遊べます。イスに腰掛け　♪むすんで（両足をそろえる）ひらいて（開く）　あしをうって（足を軽く上げて打つ）…　みぎあしをうえに　などと遊んでみましょう。	

PART-2
からだであそぼう

元気に楽しく！

手や足、そして全身を使ってアジやいとまき、きんぎょさんやニワトリさんになってしまいます。リズムにのって楽しく体を動かしましょう。理屈抜きに楽しめる遊びを集めました！

からだであそぼう

あじのひらき

DVD 9 / CD 14

♪ズンズンチャチャ… のリズムに乗って楽しめる愉快な歌遊びです。アジのひらきから、こんな遊びができてしまうなんて、と感心してしまいます。理屈抜きに楽しみましょう。

---

1 ズンズンチャチャ

腰やひざでリズムをとりながら、右手を波のように左へ動かす。

2 ズンズンチャチャ

同じように左手を右へ動かす。

3 ズンズンチャチャ

1と同じ。

4 ホッ！

両手を開き、右足を上げる。

5 ズンズンチャチャ
6 ズンズンチャチャ
7 ズンズンチャチャ
8 ホッ！

1～4を左右逆にして行う。

9 あじの

両手のひらを胸の前で合わせる。

作者不詳

♪ズンズンチャチャ　ズンズンチャチャ　ズンズンチャチャ　ホッ！
　ズンズンチャチャ　ズンズンチャチャ　ズンズンチャチャ　ホッ！
　あじの　ひらきが　しおふいて　ピュ！

からだであそぼう

10 ひらきが
両手と両足を左右に大きく開く。

11 しおふいて
両手と両足を閉じる。

12 ピュ！
両手のひらを合わせたまた、斜め上へ飛び上がる。

	0〜3歳児	4〜5歳児
😊 遊びかた	おもしろさや楽しさ優先で、リズムに乗って遊びましょう。雨が続いてストレスの発散ができないときなどに最高の遊びです。ただし、子どもどうしでぶつかることもありますから、部屋を片付けてから遊ぶようにしましょう。	
😮 ポイント	♪ズンズンチャチャ…　のリズムに乗ることと、その後の展開にメリハリがつくと、より楽しくなります。年齢の低い子どもは、斜めに飛び上がるところを、その場で軽くジャンプくらいにします。	
😄 アレンジ	うんと小さな「めだかのひらき」や、うんと大きな「くじらのひらき」でも遊んでみましょう。動作は子どもたちと相談して決めてください。盛り上がった楽しい活動になること、請け合いです。	

からだであそぼう

いとまき

DVD 10 / CD 15

みんなに親しまれている歌遊び。♪いと まきまき いと まきまき とうたっただけで、心がウキウキしますね。作るのが、こびとさんのお靴ですから、夢いっぱいの気持ちでうたえます。

1 いとまきまき いとまきまき

かいぐりをする。

2 ひいてひいて

こぶしを左右に引く。

3 トントントン

こぶしを上下交互に、3回打合わせる。

4 いとまきまき いとまきまき

1と同じ。

5 ひいてひいて

2と同じ。

6 トントントン

3と同じ

作詞不詳 外国曲

♪いとまきまき　いとまきまき　ひいてひいて　トントントン
　いとまきまき　いとまきまき　ひいてひいて　トントントン
　できたよ　できた　こびとさん　のおくつ

からだであそぼう

7　できたよ　できた

リズムに合わせて手拍子をする。

8　こびとさんのおくつ

胸の前で両手で小さな輪を作り、左右に揺らす。

	0〜3歳児	4〜5歳児
遊びかた	0〜1歳児は子どもを抱っこし、両手を持って遊んでやりましょう。2〜3歳児はまねっこで遊びましょう。	いろいろな遊び方がありますから、今日は○○ちゃんのいとまき　と、その子の遊び方で遊んでもいいでしょう。
ポイント	子どものテンポで無理なく遊びましょう。その子の家庭で遊んでいた、いとまきの動作も受け入れてやりましょう。	「こびとさんに、なに色の靴を作ろうか？」こんな呼びかけひとつで、イメージ豊かにあそべます。
アレンジ	「今度は、こびとさんの帽子を作ってみましょう」こんな呼びかけで遊んでみましょう。♪できた　できた　こびとさんの　ぼうし　とうたい、頭をさわります。チョッキも作ってみましょう。	

053

からだであそぼう

おおきなくりのきのしたで

DVD 11 / CD 16

家族で遊んでも楽しいのですが、大勢の友達と遊ぶともっと楽しいのがこの遊び。歌詞のように、大きなくりの木の下でたくさんの友達と仲よく遊ぶ姿が連想できるせいでしょうか。

---

1 おおきなくりの
両手を左右から頭の上に上げる。

2 きの
両手を頭にあてる。

3 した
両手を肩にあてる。

---

4 で
両手を体のわきに下ろす。

5 あなたと
右手人差し指で相手を指す。

6 わたし
右手人差し指で自分を指す。

作詞不詳　外国曲

♪おおきなくりの　きのしたで　あなたと　わたし
　なかよく　あそびましょ　おおきなくりの　きのしたで

からだであそぼう

7 なかよく
右手を左肩に、そのトから左手を右肩にあてる。

8 あそびましょ
体を左右に揺らす。

9 おおきなくりの
10 きの
11 した
12 で
1～4と同じ。

	0～3歳児	4～5歳児
遊びかた	0～1歳児は子どもを抱っこし、両手を持って遊んでやりましょう。2～3歳児はまねっこで遊びましょう。	おなじみの遊びですから、伸びやかに、優しい気持ちで楽しく遊びましょう。
ポイント	年齢に合わせて、テンポを変えて、表情豊かに遊びましょう。	歌詞の「あなた」を大いに意識して遊びましょう。大勢のときは、両手を前から開くと感じが出ます。
アレンジ	集団で遊ぶときには、最後までうたったら、リーダーが「○○ちゃんの木の下に集まれ！」と、一人の子を指名します。指名された子は両手を広げて木を作り、そのほかの子は木の近くに集まります。動きが出て楽しいですよ。	

からだであそぼう

おべんとうばこのうた

DVD 12　CD 17

みんなを幸せな気持ちにしてくれる手遊びです。きっと、だれもがおべんとうには思い出があるからでしょう。大人も子どももみんなで、「私のおべんとう」を作って遊びましょう。

1　これくらいの　おべんとばこに

両手人差し指でお弁当箱の大きさの四角形を描く。

2　おむすび　おむすび

おむすびを握るしぐさをする。

3　ちょいとつめて

お弁当箱におむすびを入れるしぐさをする。

4　きざみ　しょうがに

左手を横にして（まな板）右手で切る（包丁）しぐさをする。

5　ごましおかけて

両手をパッパッと開いてゴマ塩をかけるしぐさをする。

6　にんじんさん　ごぼうさん

両手の指を2と3、5と3の数だけ立てる。

わらべうた

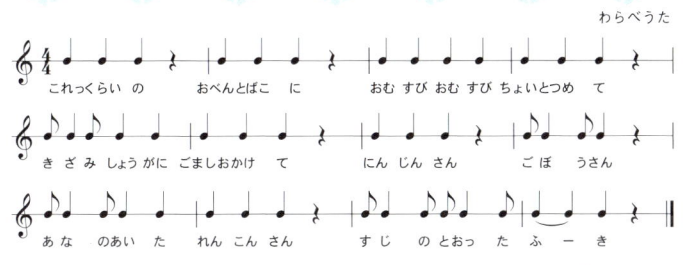

♪これくらいの　おべんとばこに　おむすびおむすび　ちょいとつめて
　きざみしょうがに　ごましおかけて　にんじんさん　ごぼうさん
　あなのあいた　れんこんさん　すじのとおった　ふき

7 あなのあいた れんこんさん

両手人差し指・親指で○をつくって目にあて、胸まで下ろして両手指を3本立てる。

8 すじのとおった

左手を前へ出し、右手で手首から肩までなで上げる。

9 ふき

右手のひらを上に向けて口元に寄せ、ふーっと息を吹く。

からだであそぼう

	0〜3歳児	4〜5歳児
遊びかた	0〜1歳児には、作って見せてあげましょう。2〜3歳児は、まねっこで遊びます。	みんなが知っている遊びですから、子どもがリーダーになって遊んでも楽しいでしょう。
ポイント	年齢に合わせてテンポを変えて、表情豊かに遊びましょう。できたら食べるまねっこも。	「お母さんに作ってあげましょう」こんなひとことで、子どもたちの表情が変わります。
アレンジ	家族みんなで食べるジャンボなおべんとうを作ってみましょう。両手を使って、思いっきり大きなおべんとうを表現します。おむすびもきざみしょうがもみんな家族が食べられる量を用意します。愛情いっぱいのおべんとうのできあがり！	

からだであそぼう

かわずのよまわり

DVD 13　CD 18

歌詞もメロディも少し難しく感じるかもしれませんが、楽しくみんなで遊べます。少し慣れると、子どもたちから「遊びたい」というリクエストがかかるようになります。古い童謡ですが、現代でも大活躍してくれます。

1 かわずのよまわり 
手拍子を8回する。

2 ガッコガッコ 
両手のひらを前に向け、胸の前に引く。2回。

3 ゲッコ 
両手のひらを前に向け、前へ突き出す。1回。

4 ピョンピョン 
両手のひらを上に向け、指先をつぼめてからパッと開く。2回。

5 ラッパふく 
右手のこぶしを口元にあてる。

6 ラッパふく 
左手のこぶしを右手のこぶしにあてる（ラッパ）。

7 ガッコ 
2を1回。

8 ゲッコ 
3を1回。

9 ピョン 
4を1回。

10 ソレふけ 
5と同じ。

11 もっとふけ 
6と同じ。

12 ガッコ 
2を1回。

13 ゲッコ 
3を1回。

14 ピョン 
4を1回。

15 ガッコガッコガ ハ 
2を3回。

16 ピョンコピョンコピョン 
4を3回。

作詞：野口雨情
作曲：中山晋平

♪かわずの　よまわり　ガッコガッコ　ゲッコ　ピョンピョン　ラッパふく　ラッパふく
　ガッコゲッコピョン　ソレふけ　もっとふけ　ガッコゲッコピョン　ガッコガッコガ　ハ
　ピョンコピョンコピョン　ゲッコゲッコゲ　ハ　ピョンコピョンコピョンコ　ガッコ　ピョン
　ゲッコ　ピョン　ガッコ　ゲッコ　ピョン

からだであそぼう

17 ゲッコゲッコゲ ハ	18 ピョンコピョンコピョンコ	19 ガッコ	20 ピョン
3を3回。	4を3回。	2を1回。	4を1回。

21 ゲッコ	22 ピョン	23 ガッコ	24 ゲッコ	25 ピョン
3を1回。	4を1回。	2を1回。	3を1回。	4を1回。

0〜3歳児　　　4〜5歳児

😊 遊びかた　夜です。春の田んぼを回って見ると、かえるたちのにぎやかな鳴き声が聞こえてきましたよ。「かわず」というのはかえるのことです。子どもたちにはこのように、軽く説明してから遊びましょう。

😮 ポイント　遊ぶのはやはり、かえるの鳴き声がたくさん聞こえてくる季節がいいでしょう。動作もなれるのに時間が必要ですから、ゆっくりと時間をかけて覚えましょう。食事や遊びのときなどBGMとして曲を流してみるのも効果的です。

😄 アレンジ　慣れてきたら、だんだんテンポを速くしてみましょう。その際、最後はゆっくりとしたテンポに戻って終わるようにします。呼吸も整って、安定した状態で終わることができます。

からだであそぼう

きんぎょさんとめだかさん

DVD 14 / CD 19

金魚とメダカの違いをうたった愉快な遊びです。歌も動作もおもしろいので人気です。さあみんなで、金魚とメダカになって遊びましょう。

---

1 きんぎょさんと

片手を前、片手を後ろに伸ばしてひらひら動かす。

2 めだかさんは

両手のひらを前で合わせる。

3 どうちがう

右手を右あごに、左手を右手ひじにあて、右足のかかとを前につく。逆向きのポーズも行う。

4 きんぎょさんは ひらひら およくのよ

1と同じポーズでひらひら泳ぐしぐさをする。

5 めだかさんは ちとちと およくのよ

両手のひらを合わせたまま前へ出して泳ぐしぐさをする。

6 きんぎょさんと めだかさんが

1、2と同じ。

作詞・作曲不詳

♪きんぎょさんと めだかさんは どうちがう きんぎょさんは ひらひら およぐのよ めだかさんは ちとちと およぐのよ きんぎょさんと めだかさんが いっしょに およげば ひらひら ちとちと

7 いっしょに およげば

両手を広げ（手をつなぐしぐさ）、右足、次に左足を上げる。

8 ひらひら

4と同じ。

9 ちとちと

5と同じ。

0〜3歳児　　　4〜5歳児

😊 遊びかた
3歳児くらいから楽しめます。最初は子どもたちと、金魚やメダカのことで知っていることを話し合ってみるのもいいでしょう。イメージができると、遊びが生き生きしてきますよ。

😮 ポイント
金魚やメダカが飼育されていたら、実際に姿や泳ぐ様子を観察してみましょう。子どもたちの発見したこと、感じたことを遊びに活かしたらもっと楽しめますね。

😆 アレンジ
慣れたら、金魚グループとメダカグループの二組みに分けて遊んでみましょう。
♪きんぎょさんとめだかさんは…（全員）　きんぎょさんは…（金魚）　めだかさんは（メダカ）　きんぎょさんと…（全員）　ひらひら（金魚）　ちとちと（メダカ）

からだであそぼう

からだであそぼう

コンちゃんがばけたとさ

DVD 15　CD 20

かわいらしくて、ちょっとユーモラスな手遊び。子どもたちには　♪いえいえいえいえ　ちがいます　の振り付けが大人気！

1 コンコンコン　コンちゃんが

両手の人差し指、小指を立て（キツネ）、左右に振る。

2 ばけたとさ

両手人差し指を立て、片手でもう一方の人差し指を握る（忍者）。

3 いしころかな　ユーフォーかな

右手のグーを回転させてから（いしころ）、波のように左へ動かす（ユーフォー）。

4 いえいえいえいえ　ちがいます

両手のひらを前向きに胸の前に出し、左右に振りながら下ろす。腰も左右に振る。

5 はっぱかな　おさらかな

右手をパーにしてかざしてから（はっぱ）、左へすくうように2回動かす（おさら）。

6 いえいえいえいえ　ちがいます

4と同じ。

作者不詳

♪コンコンコン　コンちゃんが
ばけたとさ　いしころかな
ユーフォーかな　いえいえいえ
いえ　ちがいます　はっぱかな
おさらかな　いえいえいえいえ
ちがいます　はさみかな
おはしかな　いえいえいえいえ
ちがいます　おにだとさ

からだであそぼう

7 はさみかな おはしかな

右手のチョキにしてから、おはしですくうしぐさをする。

8 いえいえいえいえ ちがいます

4と同じ。

9 おにだとさ

両手人差し指を立て、頭の両脇につける（おに）。

0〜3歳児　　4〜5歳児

遊びかた　「コンちゃんは年長さんと同じ年のキツネさん。化けるのが上手です。さあ、なんに化けたのかな？」こんな呼びかけをしてから遊んでみましょう。「もう1回遊ぼう！」と、リクエストがかかります。

ポイント　♪いえいえいえいえ　ちがいます　のところは、前の呼びかけを否定する動きです。前に出した手を上からジグザグに下ろしますが、腰も一緒につけて動かすと、はっきりした動きになります。メリハリをつけて遊ぶといいでしょう。

アレンジ　コンちゃんに化けて欲しいものを、子どもたちからリクエストをしてもらいましょう。「おばけ！」という声に乗ると、全員がその目標に向かって遊びが進むことになります。楽しさが倍増しますよ。

からだであそぼう

小さな庭

CD 21

ミニストーリーが楽しめる歌遊びです。小さな庭から中くらいの庭、大きな庭と世界が広がります。この庭を耕して花の種を植えるのですが、どんな花が咲くのでしょう。子どもたちの期待がふくらみます。

1番

1 ちいさなにわを

両手人差し指で小さい四角描く。

2 よくならして

両手のひらを下向きに、土をならすしぐさをする。

3 ちいさなたねを まきましたら

左手のひらの上の種をまくしぐさをする。

4 ぐんぐんのびて

両手のひらを合わせて、左右に振りながら上げていく。

作詞・作曲不詳

♪ちいさなにわを　よくならして　ちいさなたねを　まきましたら
　ぐんぐんのびて　はるになって　ちいさなはなが　さきました　ポッ！

2番：ちゅうくらいの　ホワッ！／3番：おおきな　ワッ！

からだであそぼう

5 はるになって

両手を頭の上から左右に、
ひらひらさせながら下ろす。

6 ちいさなはながさきました

両手でつぼみの形を作る。

7 ポッ！

両手をパッと開く。

8 ちゅうくらいのにわを

2番

両手人差し指で中くらいの
四角を描く。

9	よくならして

2を少し大きな動作で行う。

10	ちゅうくらいの たねをまきました

3を少し大きな動作で行う。

11	ぐんぐんのびて
12	はるになって

4、5を少し大きな動作で行う。

13	ちゅうくらいの はながさきました

両手で少し大きなつぼみの形を作る。

14	ホワッ！

7より大きな動作で行う。

3番

15	おおきなにわを

両手で大きな四角を描く。

16 よくならして

9より大きな動作で行う。

17 おおきなたねを
まきました

左手を腰まで引いて、そこから大きな種をまくしぐさをする。

18 くんくん
のびて

19 はるになって

4、5を大きな動作で行う。

20 おおきなはなが
さきました

両手を頭の上で合わせる。

21 ワッ！

両手を左右に大きく開く。

からだであそぼう

0〜3歳児　　　4〜5歳児

😊 **遊びかた**	小さな庭では小さな動作を、中くらい、大きな　とだんだん動作を大きくしていきます。「さあ、こんどは中くらいのお庭に中くらいの種をまきますよ。今度はどんな花が咲くのかな」と、咲く花への期待も大きくしながら遊んでみましょう。
😮 **ポイント**	最後の花が咲く場面「ポッ！」「ホワ！」「ワッ！」のところは、それぞれに気持ちを込めて表現しましょう。子どもたちの期待に応えるためにも、少しオーバーな表現を心がけてみてください。
😄 **アレンジ**	遊びに慣れたら「ちいさなちいさなにわ」「おおきなおおきなにわ」でも、遊んでみましょう。動作は人差し指の指先でうんと小さく、両手を広げてうんと大きく。最後は「ピコ！」「ドバー！」と咲きます。

067

からだであそぼう

とんとんとんとんひげじいさん

CD 22

子どもたちの大好きな遊びです。♪とんとんとんとん…とはじまっただけで、うれしそうな表情に。遊んだ後は、なんだか満たされた気分になりますね。

1 とんとんとんとん

両手のグーを上下交互に打ち合わせる。

2 ひげじいさん

右手のグーをあごの下に、左手のグーをその下につける。

3 とんとんとんとん

1と同じ。

4 こぶじいさん

右手、次に左手のグーをほおにつける。

5 とんとんとんとん

1と同じ。

6 てんぐさん

右手のグーを鼻に、左手のグーをその先につける。

7 とんとんとんとん

1と同じ。

作詞不詳／作曲：玉山英光

♪とんとんとんとん　ひげじいさん　とんとんとんとん　こぶじいさん
とんとんとんとん　てんぐさん　　とんとんとんとん　めがねさん
とんとんとんとん　てをうえに　　きらきらきらきら　おほしさま

からだであそぼう

8 めがねさん　　**9** とんとんとんとん　　**10** てをうえに　　**11** きらきらきらきら おほしさま

右手で、次に左手で輪を作って、目にあてる。

1と同じ。

両手を上げる。

両手をひらひらさせながら、左右に下ろす。

	0～3歳児	4～5歳児
😊 遊びかた	対面して一緒に動作を楽しみましょう。かわいいお星様がたくさんできますよ。	すでに慣れた遊びですから、近くの子と向かい合って、お互いの表現を楽しみましょう
😮 ポイント	0～1歳児は大人が抱っこして、子どもの手を持って動かしてあげるのもいいでしょう。	繰り返して遊ぶときには、だんだんテンポをあげて遊んでみましょう。最後は、ゆっくりです。
😄 アレンジ	遊び慣れたら　♪きらきらきらきら…　を　♪ソファミレ ドドド　で遊んでみましょう。ソ（両手を上げる）　ファ（両手を前に）　ミ（両手で耳をつかむ）　レ（おじぎをする）　ド ド ド（拍手を3回）。動きが高度になりますね。

069

からだであそぼう

のぼるよコアラ

DVD 17　CD 24

ウキウキした気分で遊べる歌遊び。さわやかなお天気の日に遊びたくなります。動作はかんたん。全身を使ってコアラの気分で遊びましょう。

1番

1 のぼるよのぼるよコアラ ユーカリのきを

右手のグーの上に左手のグーをつけ、同じように右手をつけ、くり返して頭の上まで上げていく。

2 ゴーゴーゴー

左手を腰にあて、右手のグーを3回、上に突き出す。

3 のぼるよのぼるよコアラ

1とおなじ。

4 おひさまこんにちは

両手を上げて左右に大きく開き、おじぎをする。

5 ハロー

右手で胸の前から右へ小さく円を描き、首を右にかしげる（あいさつ）。

2番

6 おりるよおりるよコアラ ユーカリのきを

1とは逆に、下に向かってグーをつけていく。

作詞作曲：多志賀 明

♪のぼるよのぼるよ コアラ　ユーカリのきを　ゴーゴーゴー　のぼるよのぼるよ　コアラ　おひさま　こんにちは　ハロー　♪おりるよおりるよ　コアラ　ユーカリのきを　ゴーゴーゴー　おりるよおりるよコアラ　おやすみなさい　グッナイ

からだであそぼう

7 ゴーゴーゴー

2と同じ。

8 おりるよおりるよコアラ

6と同じ。

9 おやすみなさいグッナイ

両手のひらを合わせたまま右ほおにあて、首を右にかしげる（おやすみなさい）。

	0〜3歳児	4〜5歳児
😊 遊びかた	子どもと対面して大人が見せてあげましょう。2〜3歳児はまねっこで遊びます。	リズムにのって元気に登りましょう。降りるときは後半の　♪おやすみなさい　を少し意識して降ります。
😮 ポイント	0〜1歳児は大人が抱っこして、子どもの手を持って動かしてあげるのもいいでしょう。	♪ゴーゴーゴー　やハロー・グッナイ　をタイミングよく入れましょう。みんなが合うと楽しいですよ。
😆 アレンジ	0〜1歳児の「たかいたかい」の遊びを、この曲に合わせてやってあげるのも楽しいでしょう。子どもの両脇をしっかり持って遊びます。♪ゴーゴーゴー（左右に揺らす）　ハロー（思い切り高く上げる）　グッナイ（抱きしめる）	

071

からだであそぼう

パンパンサンド

DVD 18 / CD 25

サンドイッチがパンパンパンと次々にできる、楽しいうた遊びです。いろいろな種類のサンドイッチをたくさん作ってどんどん食べましょう。おいしいですよ。

---

1 ふんわりパン
右手首を返しながら、前に出す。

2 ふんわりパン
1と同じよう左手を前に出す。

3 (ジャム)をはさんで
ジャムを塗るしぐさをする。

4 (ジャム)サンド
両手を横にし、上下を逆にしながら手のひらを3回合わせる。

5 パンパンパン
顔の片側で手拍子を3回する。

6 パンパンパン
顔の反対側でも手拍子を3回する。

作詞：阿部恵／作曲：宮本理也

♪ふんわりパン　ふんわりパン　（ジャム）をはさんで
（ジャム）サンド　パンパンパン　パンパンパン　ほらできあがり

からだであそぼう

7

ほら できあがり	（いただきます ムシムシャムシャ）
両手首を返しながら、前に出す。	食べるしぐさをする。

	0〜3歳児	4〜5歳児
😊 遊びかた	子どもと対面して大人が見せてあげましょう。2〜3歳児はまねっこで遊びます。	どんなサンドイッチを作るか、あらかじめ相談してから遊びます。作ったら食べてみましょう。
😮 ポイント	サンドイッチが出ている絵本や、広告メニューを見ながら遊ぶと楽しいでしょう。	知っているサンドイッチを次々と挙げ、どのようにはさんだらいいか話し合って作りましょう。
😆 アレンジ	ハンカチを用意。♪ふんわりパン…（ハンカチを二つにたたみながら）　ジャムをはさんで…（上にジャムを塗る動作）　ジャムサンド（四つ折りに）　パンパンパン…（手遊びと同じ）　ほら…（作ったサンドイッチを差し出す）と遊べます。	

073

からだであそぼう

まあるいたまご

DVD 19 / CD 26

歌詞の情景をイメージしながら遊んでみましょう。♪まーあ　かわいい　の動作が1番、♪ピヨ ピヨ ピヨ　が2番、さて3番人気は？　遊んで確かめてみましょう。

1番

1　まあるい　たまごが
両手を上げて左右に大きく開いて下ろす

2　パチンとわれて
両手をたたく。

3　かわいい
両手人差し指を両ほぉにあてる。

4　ひよこが
右ひじを上げ、右手指先を前に向けて（ひよこ）、左手を右ひじにそえる。

作詞・作曲不詳

| まあ | るいたまごが | パチンとわれて | かわいいひよこが |
| ピヨ | ピヨ | ピヨ | まー | あかわいい | ピヨ | ピヨ | ピヨ |

♪まあるいたまごが　パチンとわれて　かわいいひよこが　ピヨピヨピヨ　まあ　かわいい
　ピヨピヨピヨ　♪かあさんどりの　おはねのしたで　おくびをふりふり
　ピヨピヨピヨ　まあ　かわいい　ピヨピヨピヨ　♪あおいおそらが　まぶしくて　かわいい
　おめをクリックリックリッ　まあかわいいクリックリックリッ

からだであそぼう

5 ピヨピヨピヨ

4の形のまま、右手指先を前へ3回出す。

6 まあかわいい

両手のグーを胸に引き寄せ、左右に動かしながら腰を落とす。

7 ピヨピヨピヨ

5とおなじ。

8 かあさんどりの (2番)

右手をひらひらさせながら頭から下へおろし（髪）、左手も同じようにする。

9 おはねのしたで

両手ではばたくしぐさを2回する。

10 おくびをふりふり

両手を腰にあてて、首を左右に振る。

11 ピヨピヨピヨ

5とおなじ。

12 まーかわいい

6とおなじ。

13 ピヨピヨピヨ

5とおなじ。

14 あおいおそらが
3番

右手を右に大きくはらう。
左手も同じようにする。

15 まぶしくて

両手を重ねて目にかざし、右かかとを前につける。左かかとも前につける。

16 かわいい

3と同じ。

17 おめめを クリックリックリッ

両手人差し指・親指をつけて○をつくり、両目にあてて3回動かす。

18 まーかわいい クリックリックリッ

6、17と同じ。

からだであそぼう

	0〜3歳児	4〜5歳児
😊 遊びかた	表現遊びと考えて、思いっきり動作を楽しんでみましょう。慣れたら1番ではひよこのかわいらしさを、2番では母さん鳥の動作を、3番では青いお空のまぶしさを意識して遊んでみましょう。	
😮 ポイント	3歳児くらいから楽しく遊べます。最初は動作の流れよりも、楽しいところを喜んで表現することにポイントをおくのがいいでしょう。0〜2歳児は大人の動きを見ながら、気に入ったところをまねっこで楽しみます。	
😄 アレンジ	ヘビのバージョンでも遊んでみましょう。♪1番 まるいたまごが〜(人さし指で小さく) かわいいヘビが(ヒヨコと同じ) ニョロ ニョロ ニョロ(両手を合わせてニョロニョロさせる) 2番 おむねのしたで(胸を上から下になでる)と行います。	

077

からだであそぼう

山小屋いっけん

CD 27

美しく流れるメロディに乗せて、いろいろな動作が楽しめる歌遊びです。自分の表現を身近な人に見てもらいたくなります。

---

1 やまごやいっけん ありました

両手人差し指で山小屋の形を書く。

2 まどからみている おじいさん

両手で輪を作り、目にあて、上半身を左右に揺らす。

3 かわいい うさぎが

両手を頭の左右に上げる。

---

4 ぴょんぴょん ぴょん

両手先を上下に動かす。

5 こちらへ にげてきた

両手のひらを胸に向け、前後に4回動かす。

6 たすけて！ たすけて！ おじいさん

ひざをたたいてから両手のひらを外側に向ける。2回くり返す。

作詞：志摩桂／アメリカ民謡

♪やまごや いっけん ありました まどから みている おじいさん かわいい うさぎが ぴょんぴょんぴょん こちらへ にげてきた たすけて！たすけて！ おじいさん りょうしのてっぽう こわいんです さあさあはやく おはいんなさい もうだいじょうぶ よ

♪やまごやいっけんありました まどからみている おじいさん かわいいうさぎが ぴょんぴょんぴょん こちらへ にげてきた たすけて！たすけて！おじいさん りょうしのてっぽうこわいんです さあさあはやく おはいんなさい もうだいじょうぶだよ

からだであそぼう

7 りょうしのてっぽう こわいんです

右人差し指と親指でチョキを作り、手首を左手でつかむ。

8 さあさあはやく おはいんなさい

両手を左右に開いてから抱え込むようなしぐさをする。

9 もうだいじょうぶ だよ

左手でうさぎを抱き、右手でなでる。

	0〜3歳児	4〜5歳児
遊びかた	情景がイメージできるように、遊びの前にストーリーを子どもたちに話して上げましょう。そして、ゆっくりていねいな動作で遊びます。うさぎやおじいさんの心情も表現できることでしょう。	
ポイント	♪りょうしの てっぽう こわいんです　パン！　と撃つ遊び方もありますが、この作品では撃たない方にしてあります。	
アレンジ	遊びに慣れたら、最初の4小節を動作だけで、うたわずに遊んでみましょう。二回目は8小節と、順にうたわない部分を増やして、最後はうたわず動作だけで最後まで。みんながそろうと大きな拍手に包まれます。	

COLUMN

たのしくあそぶ コツ ②

遊びを成功に導くのは、あなたの笑顔とまなざし。

どんな遊びでも、初めて子どもと遊ぶときは、緊張しますね。間違えたらどうしよう、途中で忘れたら、メロディが不安で…。こんな心配はだれもがあります。それでも、まず勇気を出して、やってみることです。「一緒に遊ぼうね」と、あなたが楽しそうに手や体を動かしてうたえば、少しくらい間違っても不安定でも、子どもたちは一緒に楽しく遊んでくれるでしょう。

私たちが子どもと遊ぶときには原則があります。それは、楽しく遊ぼうねという「笑顔」と、みんなのこと大好きだよという「まなざし」です。いくら遊びを正確に覚えてもこれがなかったら、子どもたちはついてきてくれません。もう少し言えば「表情豊かに」ふれあうということです。表情は顔だけでなく、手や声、全身にあります。本書のDVDやCDも参考にしながらつかんでください。

> そっと優しく！

PART-3
タッチしてあそぼう

赤ちゃんとのスキンシップや
手合わせを楽しむ昔ながらのわらべうた。
やさしく、心を合わせる気持ちで
おだやかなひとときを楽しみましょう。

タッチしてあそぼう

あがりめさがりめ

CD 28

昔から遊ばれている顔遊びです。かんたんで0歳から高齢者までみんなで楽しめます。だれと遊んでみましょうか。さあ、相手を見つけてください。

1 あがりめ

両手人差し指を目尻にあてて上げる。

2 さがりめ

目尻を下げる。

3 ぐるりとまわして

目尻をぐるっと回す。

4 ねこのめ

めじりを横にひっぱたり寄せたりする。

わらべうた

♪あがりめ さがりめ ぐるりと まわして ねこのめ

〈バリエーション〉

子どもをひざに乗せ、大人が歌いながらやってあげる。

子ども同士が向き合って遊ぶ。

タッチしてあそぼう

	0〜3歳児	4〜5歳児
😊 遊びかた	子どもと対面して大人が見せてあげましょう。2〜3歳児はまねっこで遊びます。	最初は自分の顔を鏡で確かめてみましょう。顔遊びの楽しさを知るところからスタートです。
😳 ポイント	0〜1歳児に大人の遊ぶ姿を見せたら、次は大人が子どもの顔にやってあげても楽しいでしょう。	子どもどうし向かい合って、お互いの顔を見ながら遊んでみましょう。楽しいですよ。
😄 アレンジ	ねこの目だけでなく トット（鳥）の目（目じりを中央に寄せる） キツネの目（目じりを上げる） パンダの目（目じりを下げる）などでも遊びましょう。そのままの状態で ♪あっぷっぷ ともうひとつ、にらめっこの顔遊びで遊ぶこともできます。	

タッチしてあそぼう

あたまかたひざポン

子どもたちの大好きな歌遊びですが、最近では高齢者の方たちのレクリエーションでも人気です。だれでも遊べますから、世代間交流の場にピッタリです。

DVD 20 / CD 29

1 あたま　　**2** かた　　**3** ひざ　　**4** ポン

両手で頭に触れる。　両手で肩に触れる。　両手でひざに触れる。　拍手を1回する。

5 ひざ　3と同じ。　　**9** あたま　1と同じ。

6 ポン　4と同じ。　　**10** かた　2と同じ。

7 ひざ　3と同じ。　　**11** ひざ　3と同じ。

8 ポン　4と同じ。　　**12** ポン　4と同じ。

作詞不詳／イギリス民謡

♪あたま　かた　ひざ　ポン　ひざ　ポン　ひざ　ポン
　あたま　かた　ひざ　ポン　め　みみ　はな　くち

13 め　　**14** みみ　　**15** はな　　**16** くち

両手人差し指で目尻に触れる。　両手で耳に触れる。　両手で鼻に触れる。　両手で口に触れる。

タッチしてあそぼう

	0～3歳児	4～5歳児
😊 遊びかた	子どもと対面して大人が見せてあげましょう。2～3歳児はまねっこで遊びます。	♪あたま　かた　あしくび　ポンなどと、体のほか部位で遊ぶこともできますね。
😮 ポイント	0～1歳児は大人が抱っこして、子どもの手を持って動かしてあげるのもいいでしょう。	だんだん速くして遊んだときには、呼吸を整えるという意味で最後はゆっくり行うといいでしょう。
😆 アレンジ	イスに座ったり、立ったり、床に座ったり、仰向けに寝たりと、いろいろな条件で遊んでみましょう。立った状態で膝に触ると前屈の運動に、仰向けに寝た状態で膝に触ると腹筋の運動になりますね。	

タッチしてあそぼう

あたまてんてん

DVD 21 / CD 30

体の部位をタッチしたり、動かしたりして遊ぶ楽しい歌遊び。かんたんですから1回遊ぶと、すぐに覚えてしまいます。

1 あたまてんてん
両手で頭を軽く2回たたく。

2 かたたんたん
両手で肩を軽く2回たたく。

3 おててしゃんしゃん
拍手を2回する。

4 あしとんとん
両手で足を軽く2回たたく。

5 あたまててん
両手で頭を軽く3回たたく。

6 かたたたたん
両手で肩を軽く3回たたく。

作詞：阿部恵／作曲：家入脩

♪あたま てんてん　かた たんたん　おてて　しゃんしゃん　あし　とんとん
　あたま ててん　かた たたたん　おてて　しゃしゃしゃん　あし　とととん

7 おてて しゃしゃしゃん
拍手を3回する。

8 あし とととん
両手で足を軽く3回たたく。

ひとりで行うときは足踏みを3回する。

タッチしてあそぼう

	0〜3歳児	4〜5歳児
😊 遊びかた	0〜1歳児は大人が抱っこして、子どもの手や足を持って動かしてあげましょう。	おでこ（でんでん）　みみ（みんみん）などいろいろな体の部位で遊んでみましょう。
😮 ポイント	2〜3歳児は対面してゆっくりと遊びましょう。「じょうず！」こんなことばかけもいいでしょう。	体の部位のいろいろな名称に興味を持つようにします。ときどき遊ぶといいでしょう。
😆 アレンジ	何回か遊んだら、最後の部分を　♪あし　とととん　あし　とととん　あし　とととん　と何回か繰り返してみましょう。子どもたちからは「もっと、やりたい！」と、リクエストがかかりますよ。	

087

タッチしてあそぼう

アルプス一万尺

CD 31

広く親しまれている手合わせ遊びです。友達や家族と楽しく遊びましょう。息が合ってぴたっと決まったときにはうれしくなりますね。

1 ア

拍手を1回する。

2 ル

互いの右手を打ち合わせる。

3 プ

1と同じ。

4 ス

互いの左手を打ち合わせる。

5 いち

1と同じ。

6 まん

互いの両手を打ち合わせる。

作詞不詳　アメリカ民謡

アルプス　いちまんじゃく　こやりの　うーえで　アルペン　おどりを
さあおどりましょう　ラン　ララ　ラ　ラララ　ラ　ラン　ララ　ラ　ララ　ラ
ラン　ララ　ラ　ラララ　ラ　ラララ　ラ　ラー

♪アルプス　いちまんじゃく　こやりのうえで　アルペン　おどりを　さあおどりましょう
　ランラララ　ラララ　ランラララ　ララ　ランラララ　ラララ　ラララララー

7 じゃ
1と同じ。

8 く
左右の指を組み、手のひらを相手に向けて打ち合わせる。

9 こや
拍手を2回する。

タッチしてあそぼう

10 り
右ひじをたて、左手の先をひじにあてる。

11 の
10と左右逆に行う。

12 う
両手を腰にあてる。

13 えで

左手を前に伸ばし、右手は自分の左ひじのあたりにおく。左手は相手の右ひじのあたりにおく。

14 ア

1とおなじ。

15 ル

2とおなじ。

16 ペ

1とおなじ。

17 ン

3とおなじ。

18 お

1とおなじ。

19 ど

6とおなじ。

20 り

1とおなじ。

21 を

8とおなじ。

22 さあ
9とおなじ。

23 お
10とおなじ。

24 ど
11とおなじ。

25 りま
12とおなじ。

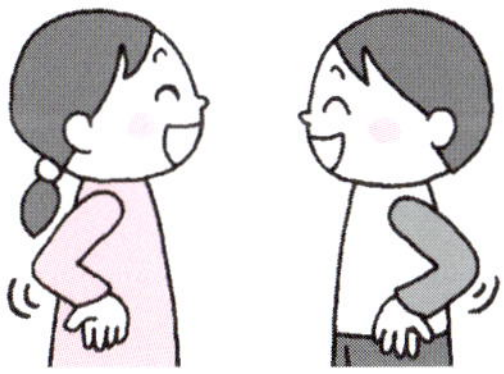

26 しょう
13とおなじ。

27 ランララ ラララ ランララ…
相手と両手をつないで回る。

タッチしてあそぼう

	0～3歳児	4～5歳児

😊 遊びかた　二人組で楽しくうたいながら遊びましょう。手合わせは、いろいろなやり方がありますが、本書のような遊び方が多いようです。パートナーを変えて遊ぶと、いろいろな人と触れ合うきっかけにもなります。

😮 ポイント　この遊びの楽しさはなんといっても、息が合ってぴたっと決まったときです。慣れてきたらテンポをだんだん速くして遊んで見ましょう。何組かで遊んでチャンピオンを決めても楽しいでしょう。

😄 アレンジ　最後までうまくできたら ♪ラララララ 「ヘイ！」 と、こぶしをつきあげてもいいルールにします。どこかでつっかえたり、間違ったりしたら、入れることはできません。みんなその快感が味わいたくて真剣に遊びます。

タッチしてあそぼう

1本橋こちょこちょ

DVD 22 / CD 32

昔から親しまれてきた触れ合い遊び。ジャンケン遊びの後の罰ゲームとしてもおなじみです。子どもどうしでも、親子でも、大人どうしでも楽しめます。

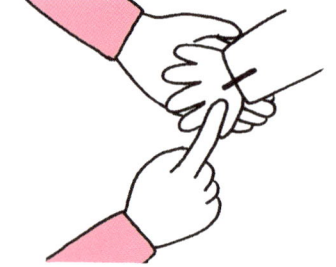

1 いっぽんばし
人差し指で相手の手のひらに1本の線を描く。

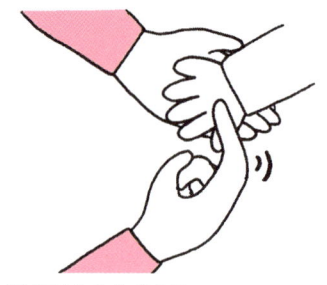

2 こちょこちょ
手のひらをくすぐる。

3 たたいて
手のひらを軽くたたく。

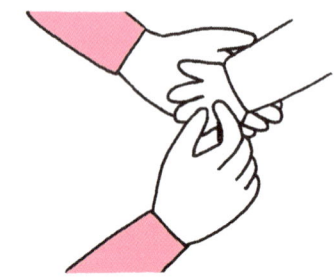

4 つねって
手のひらを軽くつねる。

わらべうた

♪いっぽんばし こちょこちょ　たたいて　つねって
　かいだんのぼって　こちょこちょ

5 かいだんのぼって

手のひらから肩まで、人差し指・中指で駆け上る動作をする。

6 こちょこちょ

全身をくすぐる。

タッチしてあそぼう

		0〜3歳児	4〜5歳児
☺	遊びかた	0〜1歳児は大人が抱っこして、子どもの手のひらにやって、くすぐってやりましょう。	二人組でジャンケン遊びをして、勝った人が負けた人に罰ゲームとしてやります。
☺	ポイント	2〜3歳児はまねっこで、大人と交代でやると、楽しめます。	ジャンケン遊びを何回戦たたかうかを決めて遊ぶと盛り上がります。
☺	アレンジ	罰ゲームとして「一本橋」で遊ぶときには、2回戦は♪にほんばし（二本指で）こちょこちょ　たたいて　つねって　たたいて　つねって（2回叩いてつねる）… と、回数が増えるごとに罰も増やして遊ぶと楽しいでしょう。	

タッチしてあそぼう

おちゃらか

CD 33

勝ったり、負けたり、あいこでも楽しい、ジャンケン遊び。いつでも、どこでも、だれとでも楽しめます。手合わせの間も次に出すジャンケンで頭がいっぱいです。

1 おちゃ

拍手を1回する。

2 らか

右手で相手の左手のひらを打つ。

3 おちゃ
4 らか
5 おちゃ
6 らか

2を2回くり返す。

7 ホイ

じゃんけんをする。

8 おちゃらか
かったよ（まけたよ／あいこで）

勝ったら両手を上げ、負けたら泣くまね、あいこなら両手を腰にあてる。

わらべうた

♪おちゃらか　おちゃらか　おちゃらか　ホイ
　おちゃらか　かったよ（まけたよ／あいこで）　おちゃらか　ホイ

9 おちゃ

1と同じ。

10 らか

2と同じ。

11 ホイ

7とおなじ。

タッチしてあそぼう

0〜3歳児　　　　4〜5歳児

😊 **遊びかた**	ジャンケンの勝ち負けがはっきりわかる、4〜5歳児くらいで遊んでみましょう。勝った人は　♪おちゃらか かったよ　とうたい、負けた人は　♪おちゃらか　まけたよ　とうたいます。あいこのときは両方が　♪おちゃらか あいこで　となります。
😮 **ポイント**	最初はゆっくりと遊んで、勝ったり、負けたり、あいこのポーズをしっかりとれるようにしましょう。慣れたら速く遊びます。次のジャンケンを一瞬で出すことと、結果のポーズを間違えないようにしなくてはいけませんから、楽しさが増します。
😄 **アレンジ**	ジャンケンの結果のポーズを工夫してみましょう。勝ち（右手でこぶしつき上げる）負け（ガックリうなだれる）　あいこ（両手を開いてセーフ）。間違えたら、相手の周りを3回まわります。難しい遊びになりますよ。

タッチしてあそぼう

お寺のおしょうさん

DVD 23　CD 34

最も親しまれている手合わせ遊びです。♪せっせっせーの　よいよいよい　と、気持ちを合わせてから始めるのがいいですね。ジャンケンも盛り上がります。

---

1 せっせっせーの

両手をつないで上下にふる。

2 よいよいよい

両手を交差させて上下にふる。

---

3 お

手を1回打つ。

4 て

互いの右手のひらを打ち合わせる。
（互いの両手を打ち合わせてもよい。以下同じ）

わらべうた

♪せっせっせーの よいよいよい おてらの おしょうさんが
　かぼちゃの たねを まきました めがでて ふくらんで
　はながさいて ジャンケン ポン

タッチしてあそぼう

5 ら

3と同じ。

6 の

互いの左手のひらを打ち合わせる。

7 お

3と同じ。

8 しょう

4と同じ。

9 さん

3と同じ。

10 が

6と同じ。

---

11 かぼちゃの たねを まきまし

3〜6を3回くり返す。

12 た

互いの両手のひらを打ち合わせる。

---

13 めがでて

自分の両手を合わせる。

14 ふくらんで

両手をあわせたまま、ふくらませる。

15 はながさいて

両手の指先を離す。

16 ジャンケン

かいぐりをする。

17 ポン

ジャンケンをする。

タッチしてあそぼう

	0～3歳児　　　　　4～5歳児
😊 遊びかた	二人組みで遊びましょう。手合わせに続いてジャンケンをします。あいこのときには　♪あいこでしょ　と勝負がつくまで行います。勝った人は負けた人に、「一本橋こちょこちょ」などの罰ゲームをしてやりましょう。
😲 ポイント	ジャンケンの勝ち負けは4歳児くらいからですが、手合わせを楽しむのは、大人とペアを組めば2歳児くらいからでも遊べます。その際は、ゆっくりと表情豊かに遊びましょう。
😄 アレンジ	慣れたら　♪～はながさいて（ここまで同じ）　かれちゃって（はなの指を中にいれる）　にんぽう　つかって（人差し指を立て握る）　そらとんで（両手パタパタ）　かみなり　ごろごろ（かいぐり）　ジャンケンポン　と遊んでみましょう。

タッチしてあそぼう

おはなのすべりだい

CD 35

楽しい触れ合い遊びです。お鼻のすべり台をアリさんやぞうさん、いろいろな動物が滑ります。♪ヒュ〜ストン！ 落ちたところはどこでしょう。コチョコチョコチョと、くすぐり遊びが楽しめます。

1 おはなのすべりだい　ありさんがすべった

（じゃんけんをする）
勝った人が行う。

人差し指で相手のひたいにトントン軽く触れる。

2 ヒュー

人差し指を相手の鼻筋にそってすべらせる。

3 ストン

人差し指を相手の体のどこかに着地させる。

作詞・作曲：阿部恵

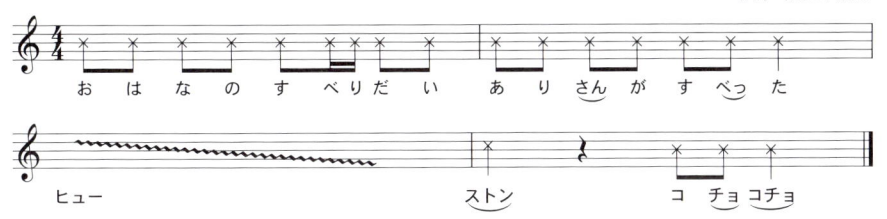

♪おはなのすべりだい　ありさんがすべった
　ヒュー　ストン　コチョコチョ

4 コチョコチョ

〈バリエーション〉

人差し指を着けたところをくすぐる。

幼いこどもには大人がやってあげるとよい。

タッチしてあそぼう

	0〜3歳児	4〜5歳児
😊 遊びかた	向かい合って、大人が人差し指でやってあげると楽しいでしょう。落ちたところをくすぐります。	二人組みでジャンケンします。勝った人が、負けた人にやってあげます
😮 ポイント	♪ヒュー　のところを適当にのばして、わき腹や足などにも落として遊ぶと、楽しいでしょう。	アリだけでなく、サルやパンダ、ゾウ、恐竜などもすべらせてみましょう。「ドッシン」や「ドカン」と落ちたりします。
😆 アレンジ	両手の人差し指を使って♪おはなの すべりだい ふたごちゃんが すべったヒュー ヒュ〜（前後して滑らせる）　ストン ストン（違うところに落ちる）コチョ コチョ（両手で落ちたところをくすぐる）　と遊ぶこともできます。	

タッチしてあそぼう

どどっこやがい

DVD 25　CD 37

おいしいどどっこ（お魚）焼けたかな？　楽しいわらべうた遊びです。両手をリズミカルに動かして上手に焼いてみましょう。焼けたらもちろん、おしょう油をつけておいしくいただきましょう。

1 どどっこやがい

手のひらを下向きに両足を軽く4回たたく。

2 けえしてやがい

手のひらを上向きに両足を軽く4回たたく。

3 あたまっこやがい

左側で1と同じしぐさをする。

4 けえしてやがい

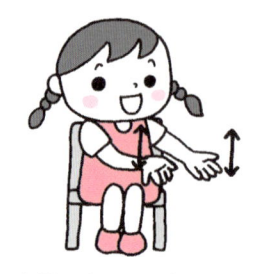

左側で2と同じしぐさをする。

5 しりぽこやがい

右側で1と同じしぐさをする。

6 けえしてやがい

右側で2と同じしぐさをする。

わらべうた　補作：阿部恵

♪どどっこ　やがい　けえして やがい　あたまっこ やがい　けえして やがい
　しりぽこ　やがい　けえして やがい　おしょうゆつけて　むしゃむしゃむしゃ
（おさかなをやこう　かえしてやこう　あたまをやこう　かえしてやこう　しっぽをやこう　かえしてやこう　おしょうゆつけて　むしゃむしゃむしゃ）

7 おしょうゆつけて

右手を左右にはらって醤油をつけるしぐさをする。

8 むしゃむしゃむしゃ

食べるしぐさをする。

タッチしてあそぼう

	0〜3歳児	4〜5歳児
遊びかた	0〜1歳児は大人が抱っこして、子どもの体で遊んであげます。2〜3歳児は自分でまねっこ遊びです。	椅子に座ってリズムに合わせて遊びます。
ポイント	2〜3歳児は2番をうたい　♪あたまをやこう　しっぽを　やこう　のところは、あたまとおしりをさわりましょう。	1番をうたい、膝を使ってリズムに合わせて焼き上げます。焼き上がったらいただきましょう。
アレンジ	知っている魚、サンマやアジ、カレイ、キンメなども焼いてみましょう。おもちも焼けます。♪おもちをやこう　かえしてやこう　ふっくらやこう　かえしてやこう　こがさずやこう　かえしてやこう　おしょうゆつけて　むしゃむしゃむしゃ	

タッチしてあそぼう

なべなべそこぬけ

CD 38

だれかが作ってくれたわらべうた遊び。♪かえりましょと、気持ちを合わせてクルリとかえると、世界が変わったように感じるから不思議です。いろいろな友達と遊びましょう。

1 なべなべそこぬけ そこがぬけたら

両手をつないで左右にふる。

2 かえりましょう

両手をつないだまま、背中合わせになる。

3 なべなべそこぬけ そこがぬけたら

背中合わせのまま、握った両手を左右に振る。

4 かえりましょう

両手をつないだまま、向かい合わせになる。

なべ なべ そこぬけ そこが ぬけたら かえりま しょう　わらべうた

♪なべなべ　そこぬけ　そこがぬけたら　かえりましょう
♪なべなべ　そこぬけ　そこがぬけたら　かえりましょう

タッチしてあそぼう

0〜3歳児　　　　4〜5歳児

😊 遊びかた	二人組みで遊びますが、慣れたら三人、四人、五人…と、人数を増やしてみましょう。うたいながらタイミングを計って遊びます
😮 ポイント	気持ちを合わせてかえることが大切ですから、知らず知らずのうちに、遊びながら相手のことを考える思いやりの気持ちが育ちます。
😄 アレンジ	大人も参加する集いのときに、子どもと子ども、大人と大人、大人と子どものペアでも試みてみましょう。うまくいっても、いかなくても楽しめます。また、全員が手をつないでかえるための、いいアイディアが出るかもしれません。

タッチしてあそぼう

ぼうずぼうず

CD 39

やさしい愛情いっぱいのわらべうた遊びです。かんたんに遊べて子どもの気持ちも安定します。スキンシップをはかりながら、楽しくあそびましょう。

---

1 ぼうずぼうず ひざぼうず

子どものひざをなでる。

2 ○○ちゃんの ぼうず

こどものひざを軽くたたく。

---

3 こんにちは

おじぎをする。

わらべうた

♪ぼうずぼうず　ひざぼうず　〇〇ちゃんのぼうず　こんにちは

タッチしてあそぼう

	0〜3歳児	4〜5歳児
😊 遊びかた	大人が子どもを抱っこして、ひざこぞうをやさしくなでながら遊んであげましょう。	二人で向かい合って椅子に座り、交互になで合って遊びましょう。
😊 ポイント	愛情たっぷりに遊んであげましょう。子どもだけでなく、大人も心癒されます。	身近な大人の歌声も大切です。一緒にうたってあげましょう。愛情が伝わります。
😆 アレンジ	たくさん遊んだら「ひざぼうず」のところを、「でこぼうず」(おでこ)「かたぼうず」(肩)「ひじぼうず」(ひじ)「しりぼうず」(おしり)「かかとぼうず」(かかと) などと、他のまあるい部位のところで遊んでみましょう。	

107

タッチしてあそぼう

ゆらゆらタンタン

CD 40

やさしくうたえて楽しい顔さわりうたです。リズミカルで心地よいスキンシップ遊びをしながら、楽しいひとときを過ごしましょう。

---

1 ゆらゆら

両手をつないで上下に振る。

2 タンタン

拍手を2回する。

---

3 おめめ

人差し指で目の下あたりに軽く触れる。

4 ゆらゆら

1と同じ。

作詞・作曲不詳

♪ ゆらゆら タンタン おめめ ゆらゆら タンタン おはな
　ゆらゆら タンタン おくち プーッと ほっぺに おみみ

5 タンタン

2と同じ。

6 おはな

人差し指で鼻に軽く触れる。

タッチしてあそぼう

7 ゆらゆら

1と同じ。

8 タンタン

2と同じ。

9 おくち

口元に軽く触れる。

10 プーッと

ほおをふくらませる。

11 ほっぺに

人差し指でほっぺに軽く触れる。

12 おみみ

人差し指で耳に軽く触れる。

〈バリエーションA〉ゆらゆら

子どもを上下にやさしく揺する。

タンタン

子どもを左右にやさしく揺する。

〈バリエーションB〉
ゆらゆら　　**タンタン**　　**おめめ**

両手を前に伸ばして、上下にゆらゆら動かす。

拍手を2回する。

目の下あたりに軽く触れる。

タッチしてあそぼう

	0〜3歳児	4〜5歳児
😊 **遊びかた**	0〜3歳児くらいで遊びましょう。子どもの手をとって向かい合い、やさしいまなざしで表情豊かに遊びます。4〜5歳児も二人組みになって、おたがいの部位を触れ合って遊ぶことができます。	
😲 **ポイント**	からだの部位をリズムに合わせてやさしく触りますが、子どもにいとおしい気持ちが伝わるように、気持ちを込めて遊びましょう。大人にもやりたがる子もいます。喜んでやってもらいましょう。	
😄 **アレンジ**	他の部位でも遊んでみましょう。　♪ゆらゆらたんたん　あたま　ゆらゆらたんたん　おでこ　ゆらゆらたんたん　まゆげ　まるい　おあごに　おくび　また、顔だけでなく、体全体を触って遊んでもたのしいでしょう。	

COLUMN

たのしくあそぶ
コツ ３

上手下手よりも願いを持って楽しくふれあうことが大切。

子どもの前に立つと、私たちはつい「上手に…」と思ってしまいます。でも、どうでしょうか。それよりも大切なことがありそうです。私はそれを「願い」と言っています。この遊びでこんなふうに感じてほしいな、と期待を持つことが願いです。１本指と１本指でお山、２本指と２本指でカニさん、あっという間にできてしまう驚き、理屈抜きのおもしろさ、意外さを感じてほしいなと期待します。

願いを持つと、あっという間の驚きは目で、おもしろさはこんな動作で、意外さはちょっとした間でこんなふうにしてみよう、と考えるようになります。それを、目の前の子どもたちに合わせて、楽しく展開すればいいのです。子どもたちの反応を敏感にキャッチするようにします。「○○ちゃんが１本橋と１本橋でおはしができると教えてくれたから、それで遊んでみましょう」これがふれあいです。

わくわく
ドキドキ！

PART-4
ゲームみたいにあそぼう

歌と振りをリズミカルに合わせます。
うっかり間違えたり、勝ち負けもあるから
思わず真剣に！
子どもから大人まで楽しめます。

ゲームみたいにあそぼう

おちたおちた

CD 41

♪おちたおちた（リーダー）　なにがおちた（子ども）
と、子どもたちとのかけあいが楽しい遊びです。なにが
落ちてくるのか、子どもたちは期待しながら待ちます。
いろいろなリアクションが出てきますよ。

1番

1 おちたおちた

大人（リーダー）がうたう。

2 なにがおちた

子どもたちがうたう。

3 りんごがおちた

大人がうたう。

4 アッ！

（大人：りんごを落とす動作
子ども：りんごを受け止める
しぐさ。

2番

5 おちたおちた

6 なにがおちた

7 てんじょうが
おちた

1〜3と同じ。

8 アッ！

（大人：天井を表す動作
子ども：天井を受け止めるし
ぐさ。

わらべうた

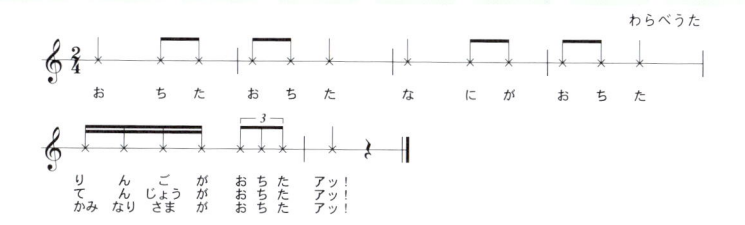

おちたおちた　なにがおちた
りんごが　おちた　アッ！
てんじょうが　おちた　アッ！
かみなりさまが　おちた　アッ！

♪おちたおちた　なにがおちた　りんごがおちた　アッ！
♪おちたおちた　なにがおちた　てんじょうがおちた　アッ！
♪おちたおちた　なにがおちた　かみなりさまがおちた　アッ！

3番

9 おちたおちた

10 なにがおちた

11 かみなりさまが　おちた

12 アッ！

1～3と同じ。

（大人：かいぐり）
子ども：両手でおへそを押さえる。

0～3歳児　　4～5歳児

😊 遊びかた	リーダーと子どもたちがかけあいで遊びます。落ちてくるものに合わせて、すばやくポーズをとります。リーダーの投げかける　♪おちたおちた　と　○○がおちたの期待を持たせるタイミングが大切です。3歳児くらいから楽しさがわかります。
😮 ポイント	落ちる物をほかにも考えてみましょう。子どもたちがとっさにどんな反応を示すか楽しみですね。キャンディ（口をあける）、あめ（傘をさす）、けむしが（手を引っ込める）、サンタさん（腕を組む）など。
😄 アレンジ	♪ないたないた　なにがないた　カラスがないた　カアカアカア　や　♪とんだとんだ　なにがとんだ　ホームランがとんだ　カーン　などと、いろいろなバリエーションで遊んでみましょう。

ゲームみたいにあそぼう

ゲームみたいにあそぼう

おてんきジャンケン

CD 42

お天気をモチーフのしたジャンケン遊び。子どもから大まで楽しく遊べます。「ジャンケン　ポン！」と、元気な声が響きます。♪セッセッセーのヨイヨイヨイ　と、気持ちを合わせてはじめましょう。

---

1 セッセッセーの

両手をつないで振る。

2 ヨイヨイヨイ

両手をつないだまま、クロスさせて振る。

---

3 きょうのおてんき　どんなかな

1回拍手し、次に相手と両手を合わせ、それぞれ4回行う。

4 パーッとはれた　いいてんき

両手をパッと上げ、手をひらひらさせながらゆっくり左右に下ろす。

作：黒川幼稚園／補作：阿部恵

♪セッセッセーの
ヨイヨイヨイ
きょうのおてんき
どんなかな　パーッと
はれた　いいてんき
グングンでてきた
くろいくも　チョッピ
リあめも　ふってきた
おてんきおてんき
ジャンケンポン

5 グングンでてきた くろいくも

左右の握り拳を回しながら上にあげていく。

6 チョッピリあめも ふってきた

両手のチョキを回しながら下ろす。

7 おてんきおてんき ジャンケンポン

3と同様に自分と相手、2回ずつ手を合わせ、ジャンケンをする。

0〜3歳児　　　4〜5歳児

😊 遊びかた　4〜5歳くらいでは、二人組みで遊びます。うたいながら手合わせをして、最後にジャンケンをします。勝った人が負けた人に罰ゲームをします。2〜3歳児はまねっこ遊びで遊びましょう。

😮 ポイント　罰ゲームもありますから熱中して遊べますが、何回遊ぶのか決めてやると、目標が定まって、遊びやすくなります。ペアを替えても遊んでみましょう。

😆 アレンジ　全員が手をつないで輪になり遊んでみましょう。手合わせは横の人と、ジャンケンは全員が行い負けた人が輪から外れます。最後まで残った一人がお天気ジャンケン・チャンピオンです。

ゲームみたいにあそぼう

ゲームみたいにあそぼう

グーチョキパーでなにつくろう

CD 43

いろんなものがグーとパとチョキで、一瞬のうちにできてしまいます。どの子も大好き。子どもからも「グーチョキパーやろう！」と、リクエストがかかります。家庭でも楽しく遊べます。

1 1番
グーチョキパーで
グーチョキパーで

歌に合わせ、両手でグー、チョキ、パーを出す。

2 なにつくろう
なにつくろう

両手のパーを左右に揺らす。

3 みぎてが
チョキで

右手でチョキを出す。

4 ひだりても
チョキで

左手もチョキを出す。

作詞不詳 外国曲

♪グーチョキパーで　グーチョキパーで　なにつくろう　なにつくろう
　みぎてが　チョキで　ひだりても　チョキで　かにさん　かにさん

2番：パーで　パーで　ちょうちょ　ちょうちょ／3番：グーで　グーで　ゆきだるま　ゆきだるま

5　かにさん　かにさん

チョキを開いたり閉じたりしながら、左右に揺らす。

6　グーチョキパーで　グーチョキパーで （2番）

1と同じ。

7　なにつくろう　なにつくろう

2と同じ。

8　みぎてがパーで

右手でパーを出す。

ゲームみたいにあそぼう

9 ひだりても パーで

左手もパーを出す。

10 ちょうちょ ちょうちょ

両手のおやゆびの先を重ね、ひらひらさせる。

3番
11 グーチョキパーで グーチョキパーで

1と同じ。

12 なにつくろう なにつくろう

2と同じ。

13 みぎてが グーで

右手でグーを出す。

14 ひだりても グーで

左手もグーを出す。

15 ゆきだるま ゆきだるま

両手のグーをつける。

〈バリエーション〉

グーの上にパーをのせると、「ヘリコプター」ができる。

両手のチョキを目にあてると「めがねさん」になる。

ゲームみたいにあそぼう

	0～3歳児　　　　4～5歳児
😊 遊びかた	グー・チョキ・パーが出せるようになってきた2歳児くらいから遊べます。リズムに合わせて動作を楽しみ、最後に右手と左手のグー・チョキ・パーの組み合わせで、いろいろなものを形作って遊びます。
😮 ポイント	グー・チョキ・パーの組み合わせを意味づけて、いろいろなものに見立てる楽しさを、まず味わいましょう。できるものは数限りなくありますから、子どもたちと遊びながら見つけていきましょう。
😆 アレンジ	♪グーチョキパーで（両手で）　できたもの（拍手4回）　（カニ）さん（カニ）さん（言葉だけで）なにと　なにで（手を順に顔の横でキラキラ）　できているか（拍手4回）　かんがえよう　かんがえよう（考えるポーズ）　と、遊んでみましょう。

ゲームみたいにあそぼう

げんこつ山のたぬきさん

CD 44

だれもが知っている、おなじみのうた遊び。0歳から高齢者まで、子どもどうしでも、親子でも、集団でも楽しめます。 ♪だっこして　おんぶして　またあした　と、ジャンケンするところは、つい真剣になりますね。

1 げんこつやまの たぬきさん

左右の握りこぶしを上下交互に軽く打ち合わせる。

2 おっぱいのんで

両手でおっぱいに触れながら飲むしぐさをする。

3 ねんねして

左右の手を合わせ、ほおにあてて寝るしぐさをする。

4 だっこして

赤ちゃんを両手でだっこするしぐさをする。

わらべうた

♪げんこつやまの　たぬきさん　おっぱいのんで　ねんねして
　だっこして　おんぶして　またあした

5 おんぶして
赤ちゃんを背中におんぶするしぐさをする。

6 またあした
かいぐりをして、「た」でジャンケンする。

	0～3歳児	4～5歳児
遊びかた	大人がリードして子どもたちと楽しく遊びましょう。最後はグー・チョキ・パーの好きなものを出します。	二人組みになって遊びましょう。最後のジャンケンは、勝ち負けを決めます。
ポイント	ジャンケンの勝ち負けをまだ意識しない年齢なので「同じグーを出した人！」などと呼びかけます。	ジャンケンで勝った人が負けた人に罰ゲーム（p92「一本橋」など）をすると、盛り上がります。
アレンジ	♪げんこつやまのたぬきさん　の「たぬき」の部分を「うさぎ」や「こぶた」などでも遊んでみましょう。その際、　♪げんこつやまのうさぎさん　ピョン！　と、入れるとより楽しめます。	

ゲームみたいにあそぼう

ゲームみたいにあそぼう

ごんべさんの赤ちゃん

DVD 26 / CD 45

このメロディ(「リパブリック賛歌」)で、たくさんの遊びが作られています。それだけ私たちの体に受け入れやすいのでしょう。0歳から高齢者の方まで、みんなで楽しく遊びましょう。

1 ごんべさんの
両手で頭から手ぬぐいをかぶり、あごの下で結ぶしぐさをする。

2 あかちゃんが かぜひいた
赤ちゃんを抱き、あやすしぐさをする。

3 (クショーン)
両手を口元によせてパッと開く。

4 ごんべさんの

5 あかちゃんが かぜひいた

6 (クショーン)

7 ごんべさんの

8 あかちゃんが かぜひいた

9 (クショーン)

作者不詳／アメリカ民謡

ごんべさんの あかちゃんが かぜひいた
ごんべさんの あかちゃんが かぜひいた
ごんべさんの あかちゃんが かぜひいた そこであわてて しっぷした

♪ごんべさんの　あかちゃんが　かぜひいた（クショーン）
　ごんべさんの　あかちゃんが　かぜひいた（クショーン）
　ごんべさんの　あかちゃんが　かぜひいた（クショーン）　そこであわてて　しっぷした

10 そこであわてて
手拍手を4回する。

11 しっぷ
右手を左肩にあてる。

12 した
右手の上から左手も右肩にあてる。

ゲームみたいにあそぼう

	0〜3歳児	4〜5歳児
😊 遊びかた	0〜1歳児には向かい合って、遊びを見せてあげます。2〜3歳児はまねっこで遊びましょう。「ごんべさんの赤ちゃんが風邪をひいたんだって。でも心配いらないみたい」遊びの始めにこんなひとことがあるといいでしょう。	
😮 ポイント	なんといっても♪ごんべさんの　あかちゃんが　かぜひいた　（クション）と入る合いの手がポイントです。タイミングよく入れましょう。子どもたちは大喜びすることでしょう。	
😄 アレンジ	「ごんべさんの赤ちゃん双子だったんだって。それでもう一人の赤ちゃんも風邪をひいてしまいましたよ」　♪〜かぜひいた（クション　クション）と、2回くしゃみをします。三つ子でも遊べますね。	

ゲームみたいにあそぼう

正月さんのもちつき

DVD 27 / CD 46

二人組の手合わせ遊びの中でも、難しいグループに入る遊びです。それだけに、できるようになったときには「できた！」「やった！」と、大きな喜びや感動が。お正月が近づいてきたら遊びましょう。

1 しょうがつさんの もちつきは

2人で向かい合う。片方の手のひらを上向きにし、もう一方の手のひらで上から打つ。1人（女の子）はこの動きを終わりまで続ける。

2 ペッタンコペッタンコ

もう1人（男の子　以下男の子の動きの説明）は「ペッ」で自分の手のひらを、「タン」でつきての手のひらを、「コ」で自分の左手を打つ。

3 はっこねてはっこねて はっこねはっこね　はっこねて

「はっ」で自分の手のひらを打ち、「こね」で相手の両手の間で円を描くようにこねるしぐさをする。「て」で自分の手のひらを打つ。

4 シャーンシャーン

体の横で手拍子を2回する。

わらべうた

しょうがつさんの もちつきは ベッタンコ ベッタンコ ベッタン ベッタン ベッタンコ はっこねて はっこねて はっこねはっこね はっこねて シャーン シャーン シャンシャンシャン トンテンテン トンテントン

♪しょうがつさんの もちつきは ベッタンコ ペッタンコ ベッタン ベッタンコ はっこねて はっこねて はっこねはっこね はっこねて シャーン シャーン シャンシャン トンテンテン トンテントン

5 シャンシャンシャン

相手の両手の間を通るように両手を横に動かしながら、手拍子を3回する。

6 シャーンシャーン

4とは反対の側で手拍子を2回する。

7 シャンシャンシャン

5とは反対の側へ向かって手拍子を3回する。

8 トンテントンテン

相手の両手の下で(「トン」)、次に両手の間で(「テン」)、さらに両手の上で(「トン」)、また両手の間で(「テン」)手拍子を4回する。

ゲームみたいにあそぼう

9 トンテントン

続けて相手の両手の下、間、上で手拍子を3回する。

	0～3歳児	4～5歳児

😊 遊びかた	2人のうちの1人は、最初から最後までリズムを取り、もう1人が、ついたり、こねたりする役割です。練習中に疲れたらパートを交代して遊びましょう。できたときには大いに認めてやりましょう。4～5歳児くらいから楽しめます。
😮 ポイント	パートに分けてゆっくり説明します。子どもどうしが組んで練習するときには、できるようになった子がもう1人を指導できるようにペアを作ります。子どもどうしだと粘り強く教えてくれます。
😄 アレンジ	♪しょうがつさんの　のこの部分の歌詞を　♪じゅうごやさんの　に替えて「十五夜さんのもちつき」でも遊んでみましょう。同様に「おすもうさんのもちつき」でも遊べます。迫力満点のもちつきになりますよ。

COLUMN

たのしくあそぶコツ 4

遊びを始める前に、
やる気の出るこんなひと言。

「今日は、朝から気持ちのいいお天気ですね。お山のたぬきさんもうれしそうですよ。さあ遊びましょう」窓の外を指差しながら、こんなひと言で「げんこつ山のたぬきさん」の手遊びを始めたらどうでしょう。子どもたちの顔の表情、声、動きも気持ちのいいものとなり、うれしそうな遊びになることが想像できます。やる気の出る言葉をかけることも大切。遊びの鍵のひとつといえます。

難しく考えないで、さらりと遊びに導き入れましょう。「あのね、先生、楽しい手遊びを教えてもらったの。みんなと遊びたいな」「遊ぼう！」「お母さんの小さいとき、おばあちゃんから、♪ちゃちゃつぼ ちゃつぼ っていう遊びを教えてもらったんだ。○○ちゃんもやってみる？」「やりたい」。保育者やお母さんの気持ちが伝わって、子どもたちのやる気を起こしてくれます。

ゲームみたいにあそぼう

ゲームみたいにあそぼう

だいくのキツツキさん

CD 47

子どもから大人まで遊べる、明るく楽しい歌遊びです。振り付けが魅力的で「ホールディアーで遊ぼう！」とリクエストがかかります。大勢で遊んだ方が楽しく、特に後半は盛り上がります。

---

1 みどりのもりかげに
手拍子を6回する。

2 ひびくうたは
右手、続いて左手を耳にあてる。

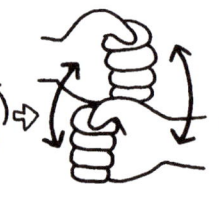

3 だいくのキツツキさん
両手のグーを上下交互に打ち合わせる。

4 せいだすうた
ガッツポーズ。

5 ホールディーアー
両手のひらで両ひざをぱたぱた打つ。

6 ホール
両手のひらでひざを軽く1回打つ。

7 ディヒ
手拍子を1回する。

8 ヒア
両手の指を1回鳴らす。

作詞：宮林茂晴　オーストリア民謡

♪みどりの　もりかげに
ひびく　うたは　だいくの
キツツキさん　せいだす
うた　ホール　ディー　アー
ホール　ディヒ　ヒア
ホールディクク　ホールディヒヒア　ホールディクク
ホールディヒヒア　ホールディクク　ホールディヒヒア　ホ

9	ホールディクク
10	ホールディヒヒア
11	ホールディクク
12	ホールディヒヒア
13	ホールディクク
14	ホールディヒヒア

6〜8をくり返す。

15　ホ

5と同じ。

0〜3歳児　　4〜5歳児

ゲームみたいにあそぼう

😊 遊びかた	3歳児後半〜5歳児くらいの年齢から楽しめます。歌詞の情景をイメージしながら動作をつけます。後半のキツツキさんの　♪ホールディアー　の歌は、楽しく軽快にうたって遊びます。
😮 ポイント	軽快に遊ぶととても楽しいのですが、最初はゆっくり覚えます。指鳴らしはできなくても、雰囲気が味わえるので形をまねします。年長児くらいになると、少しずつできる子が出てきます。
😆 アレンジ	イスに座って輪になって遊んでも楽しいでしょう。遊び方は同じですが　♪ホール（膝たたく）ディヒ（手拍子）　ヒア（両横の人と手を合わせる）ホール（膝たたく）　ディ（手拍子）　クク（両横の人と手を合わせる）　と遊びます。

ゲームみたいにあそぼう

だるまさん

昔から楽しまれてきたにらめっこ遊びです。もともと「子どもを喜ばせてあげたい」「子どもと遊んであげたい」というやさしさを持った遊びです。思いきり子どもたちを楽しませてあげましょう。

DVD 28　CD 48

1 だるまさんだるまさん
にらめっこしましょ
わらうとまけよ

向かい合い、手拍子を12回する。

2 あっ　ぷっ

両手で顔をかくす。

3 ぷっ

顔を出しておもしろい顔をする。

わらべうた

♪だるまさん　だるまさん　にらめっこしましょ
　わらうとまけよ　あっぷっぷ

ゲームみたいにあそぼう

	0〜3歳児	4〜5歳児
遊びかた	子どもを抱っこしたり、イスに座らせたりして向かい合います。大人がリードして遊びます。	子どもどうし向かい合って座ります。一緒にうたいながらにらめっこをし、先に笑った方が負けです。
ポイント	サービス精神旺盛に、できるだけおもしろいにらめっこ顔をしてあげましょう。	子どもたちが遊ぶ前に、大人が見本のおもしろい顔をたくさん見せてあげましょう。
アレンジ	「だるまさんのくすぐりっこ」でも遊びましょう。二人組になり　♪だるまさん　だるまさん　くすぐりっこしましょう　にげたらまけよ（ここまで手拍子）こちょこちょ…（お互いにくすぐりっこをする）	

ゲームみたいにあそぼう

チェッチェッコリ

DVD 29 / CD 49

ガーナの楽しいうた遊び。歌詞の意味はあまりはっきりしないようですが、調子がよくいつの間にか覚えてしまいます。ノリノリで踊ってみましょう。

1 チェッチェッコリ

両手を頭にあて、リズムに合わせ腰を左右にふる。

2 チェッコリサ

両手を肩にあて、リズムに合わせ腰を左右にふる。

3 リサッサマンガン

両手を腰にあて、リズムに合わせ腰を左右にふる。

4 サッサマンガン

両手をひざにあて、リズムに合わせ腰を左右にふる。

ガーナ民謡

♪チェッチェッコリ　チェッコリサ
　リサッサマンガン　サッサマンガン　ホンマンチェッチェッ

5 ホンマンチェッチェッ

両手を足首にあて、リズムに合わせ腰を左右にふる。

	0〜3歳児	4〜5歳児
😊 遊びかた	0〜1歳児は大人が抱っこして楽しくゆらしてあげましょう。2〜3歳児はまねっこで遊びます。	リズムに合わせて楽しく踊ります。振りはかたく考えず、ゆるやかでいいでしょう。
😲 ポイント	大人が踊る姿も見せてあげると子どもたちも大喜び。自由な身振りでも遊んでみましょう。	腰を軟らかく動かして遊んでみましょう。新しい身振りも子どもと考えて遊んでみましょう。
😆 アレンジ	遊びに慣れて楽しさがわかってきたら、子どもが順にリーダーになり、即興で踊ってみましょう。ほかの子はその子のまねをして踊ります。1人が踊り終えたら、次の子を指名してもいいでしょう。	

ゲームみたいにあそぼう

ゲームみたいにあそぼう

ちゃつぼ

よく知られたわらべうたあそび。簡単なようでなかなか「ふた」になりません。いつの間にか両方がパーやグーになることも。それだけに、できたときの喜びは大きいものがあります。

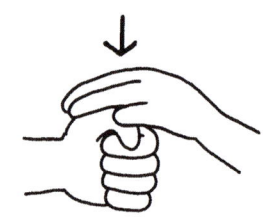

---

1 ちゃ

左手を握って「茶碗」にする。上に右手のひらを乗せて「ふた」にする。

2 ちゃ

左手の下に右手をあて、「そこ」にする。

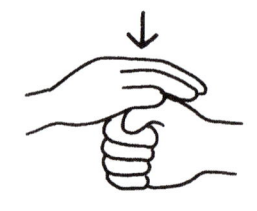

---

3 つ

右手を握って「茶碗」に、左手を「ふた」にする。

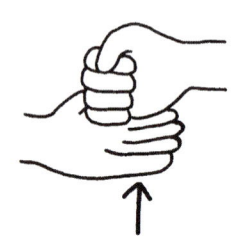

4 ぼ

左手を「そこ」にする。

わらべうた

♪ちゃちゃつぼ　ちゃつぼ　ちゃつぼにゃ　ふたがない
　そこをとって　ふたにしよう

5	ちゃ つ ぼ
6	ちゃ つ ぼ にゃ
7	ふた が ない
8	そ こを とっ て

リズムに合わせて1〜4をくり返す。

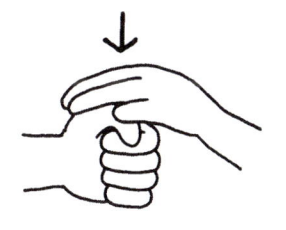

9 ふた にし よう

「ふた」で終わったら成功！
「そこ」で終わったら再チャレンジ！

ゲームみたいにあそぼう

| | 0〜3歳児 | 4〜5歳児 |

遊びかた	3歳児後半くらいからまねっこで遊んでみましょう。手を交互に動かすくらいの遊びになりますが「上手！」と褒めると、喜んで見せてくれます。4〜5歳児も最初はなかなかできませんが、ゆっくりと遊ぶとできる子もでてきます。
ポイント	最初はゆっくり遊びます。できる子が出はじめたら、できた子に見本を見せてもらうと、刺激を受けて練習する子が多くなります。だんだん速くできるようになると、自信いっぱいの表情になります。
アレンジ	片方の手だけを動かしても遊べます。左手グーでちゃつぼにします。右手はパーのまま上（ふた）下（そこ）に動かすと、最後はふたになります。できたら、左右を反対にして遊んでみましょう。

ゲームみたいにあそぼう

なぞなぞむし

CD 52

タイトルの通り、なぞなぞ遊びの導入にピッタリの歌遊び。♪あっちから なぞなぞむしが やってきて と遊ぶうちに、なぞなぞへの期待や集中力が高まります。なぞなぞ遊びと合わせて楽しみましょう。

1 あっちから なぞなぞむしが やってきて

両手を後ろに隠し、右人差し指を立てて前へ出す。

2 こっちから なぞなぞむしが やってきて

左人差し指を立てて前へ出す。

3 なぞなぞ

右人差し指を頭につける。

4 なぞなぞ

左人差し指も頭につける。

わらべうた

♪あっちから　なぞなぞむしが　やってきて　こっちから
　なぞなぞむしが　やってきて　なぞなぞ　なぞなぞ　はてな

5 はてな

指をつけたまま、頭を左右に動かす。

0〜3歳児　　　4〜5歳児

| 遊びかた | 唱えうたですが、抑揚をつけてうたって、はっきりとした動作で遊びましょう。二回くらい繰り返すとインパクトが強くなります。 |

| ポイント | 3歳児くらいから遊べます。年齢に合ったなぞなぞを用意して、なぞなぞむしをリズミカルにうたってなぞなぞ遊びに導きましょう。 |

| アレンジ | ♪あっちから　とうさんなぞなぞむしが　やってきて　こっちから　とうさんなぞなぞむしが　やってきて〜　と遊んでみましょう。母さんなぞなぞむし・兄さんなぞなぞむし・姉さんなぞなぞむし・赤ちゃんなぞなぞむし　と遊ぶことができます。 |

ゲームみたいにあそぼう

ゲームみたいにあそぼう

ピコピコテレパシー

DVD 32 **CD 53**

絵カード（B5大）に描かれている、食べられるもの、食べられないものをテレパシーで当てる、楽しい手遊びです。ゲーム的な要素があるので、集団で遊ぶのにピッタリです。

1 おいしいものは
両手人差し指で両ほおを軽くたたく。

2 まる
両手の指先を合わせて小さな○を作る。

3 まる
両手を合わせて大きな○を作る。

4 たべられないもの
右手のひらを胸の前で左右に振る。

5 ばつ
両手の人差し指で小さな×を作る。

6 ばつ
両手で大きな×を作る。

作詞：阿部恵／作曲：宮本理也

♪おいしいものは　まる　まる　たべられないもの　ばつ　ばつ
　ピコピコピコピコ　テレパシー　いちにーさん　はいポーズ

7 ピコピコピコピコテレパシー
両手人差し指をこめかみからカードに向かって伸ばす。

8 いちにーさん
手拍子を3回する。

9 はいポーズ
両手で大きな○か×を作る。

	0〜3歳児	4〜5歳児
遊びかた	0〜1歳児は大人に抱っこされ、手を動かしてもらいます。2〜4歳児はまねっこで遊びましょう。	リーダーとうたいながらカードの表面に何が描いてあるか、テレパシーで当てましょう
ポイント	「さあ、どっちかな？」と表面を出して、おいし物が出たら一緒に食べるまねをして楽しみましょう。	絵カードはおいしいものを13枚くらい、食べられないものを7枚くらいの割合で用意するとよいでしょう。
アレンジ	遠出に付き添うときは、絵カードが20枚くらい入る袋などを用意して遊んでもいいでしょう。4〜5歳児でしたら、子どもがリーダーになって遊ぶことができます。	

ゲームみたいにあそぼう

ゲームみたいにあそぼう

ピヨピヨちゃん

CD 54

♪ピヨピヨちゃん（リーダー）　なんですか（子ども）と、かけあいで遊びましょう。かわいいピヨピヨちゃんは　♪こんなこと　こんなこと　できますよ　と、何でもできてしまいます。

1 ピヨピヨちゃん

大人（リーダー）は口の前で両手をくちばしのように合わせ、開いたり閉じたりする。

2 なんですか

子どもは1のまねをする。

3 こんなこと　こんなこと　できますか

大人は頭に両手をおく。

4 こんなこと　こんなこと

子どもは3のまねをする。

作詞・作曲不詳

♪ピヨピヨちゃん　なんですか　こんなこと　こんなこと　できますか
　こんなこと　こんなこと　できますよ

5 できますよ

一緒に拍手を3回する。

〈バリエーション〉

遊びに慣れたら、子どもがポーズをとり、大人がまねる遊び方も楽しめる。

	0～3歳児	4～5歳児
遊びかた	向かい合っていろいろなポーズをとりながら呼びかけ、子どもは応えてまねっこします。	最初は大人が呼びかけますが、慣れてきたら、子どもがリーダーになっても楽しいでしょう。
ポイント	0～1歳児は大人が補助しましょう。やさしくて楽しいポーズをして「できますか」と呼びかけましょう。	ピヨピヨちゃんへの呼びかけは、楽しい、ゆかい、思いがけないなどバラエティに富んだポーズで。
アレンジ	4～5歳児が遊びに慣れたら、バージョンアップして、コッコちゃんでも遊んでみましょう。♪コッコちゃん　こんなこと　こんなこと　いえますか… と、早口ことばや簡単な英語の単語などを呼びかけてみましょう。	

ゲームみたいにあそぼう

COLUMN

たのしくあそぶ
コツ ⑤

こんなとき
手遊び歌遊びが役にたつ。

楽しいふれあいができる。リズム感や表現力が豊かになる。集中力が育まれる。自発的に遊べて遊びの輪が広がる。創意・工夫が生まれる。手遊び歌遊びのねらいをこのように考えています。日常的には「いつでも」「どこでも」「だれとでも」簡単に遊べるのが手遊び歌遊びです。保育のすき間の時間、何かの活動の導入に、お楽しみの活動として、集いのレクリエーションとして…。

手遊び歌遊びのもうひとつのよさは保育園や幼稚園に限らず、親子や家族でも楽しめるところ。家庭の団欒の時間に、電車やバスの待ち時間に、公園で一休みのときに、兄弟の遊びに、ゆっくりお風呂につかりながら…など、家族間の肌のふれあいのある、楽しい時間になります。話し合いが生まれます。家庭力のアップにも一役買うことになります。たくさん遊びましょう。

PART-5
みんなであそぼう

仲良く一緒に！

みんなで手をつないで輪になったり、
大勢で追いかけっこをしたり。
大人にとっては懐かしい遊びがいろいろ。
大切に伝えていきたい遊びです。

みんなであそぼう

あなたのおなまえは

CD 55

自分の名前をみんなに知ってもらうのはうれしいもの。♪あなたのおなまえは… と、歌でやさしく聞かれたら「○○○○です」と、言いやすくなりますね。

1 あなたのおなまえは

子どもに歌いかけて名前をたずねる。

2 ○○（です）

名前を元気に言う。

3 あなたのおなまえは ○○（です）

1、2を2回続ける。

作詞不詳　インドネシア民謡

♪あなたのおなまえは　○○（です）　あなたのおなまえは　○○（です）
　あなたのおなまえは　○○（です）　あらすてきなおなまえね

4　あらすてきなおなまえね

歌に合わせて手拍子をする。

0〜3歳児　　　　4〜5歳児

😊 遊びかた	リーダーは　♪あなたの　おなまえは…　と、子どもにやさしく呼びかけましょう。聞かれた子どもは、自分の名前を答えます。年齢の低い場合は、大人どうしで見本を見せてから遊ぶといいでしょう
😮 ポイント	子どもたちの中には、恥ずかしがりやさんもいます。ロールペーパーの芯などで作った、手作りのかわいいマイクがあると答えやすくなります。子どもも手に持って答えられるように、2本あるといいでしょう。
😆 アレンジ	♪あなたの　すきな　いろ…　や　♪あなたの　すきな　くだもの…　などと、たずねても楽しいでしょう。内容は子どもたちが答えやすいものにしましょう。♪あなたの　なりたいもの…　4〜5歳児だったらこんな質問もありますね。

みんなであそぼう

147

みんなであそぼう

あぶくたった

CD 56

集団で遊べるわらべうた遊び。遊びの中にさまざまなストーリーがあり、最後は鬼ごっこになります。クライマックスに近づくにしたがって、ワクワク、ドキドキ、ハラハラと楽しめます。

1 あぶくたった にえったった にえたかどうだか たべてみよう

手をつないでオニの周りを回る。

2 ムシャムシャムシャ

オニの頭をみんなでさわって食べるまねをする。

3 まだにえない

また手をつないで輪になる。

4 あぶくたった…もうにえた

1～3を2、3回くり返し3で「もうにえた」と歌う。

A

みんな「とだなにしまっておきましょう」（オニを少し離れたところに連れて行く）
「カギをかけてガチャガチャガチャ」
「ごはんをたべてムシャムシャムシャ」
「しゅくだいして はをみがいて おふろにはいって パジャマにきがえて おふとんしいて ねましょう」（それぞれの動作のまねをする。最後は座って寝たふりをする）

わらべうた

♪あぶくたった　にえったった　にえたかどうだか　たべてみよう
　ムシャムシャムシャ　まだにえない（もうにえた）

B

おにがみんなのところに来る。
オ　ニ「トントントン」（戸を叩くまねをする）
みんな「なんのおと？」　オ　ニ「かぜのおと」
みんな「ああよかった」（また寝たふりをする）
オ　ニ「トントントン」　みんな「なんのおと？」
オ　ニ「たいこのおと」（オニは思いついた音を答え、
何度かくり返す。そして…）
オ　ニ「おばけのおと！」

C

みんな「キャー」
（いっせいに逃げる。オニは
みんな追いかける）

0～3歳児　　　4～5歳児

遊びかた　最初は鬼を囲んで輪になり、♪あぶくたった　にえたった…　と遊びます。煮えない、煮えたのやり取りがあって、鬼を少し離れたところに連れて行きます。鬼とそのほかの子と「トントントン」「何の音」のやり取りのあと、鬼ごっこになります。

ポイント　この魅力を知った子どもたちは夢中で遊びます。いきなりフルパワーで遊ぶのでなく、年齢に合わせて、エキスのところを楽しんでみましょう。「トントントン」のところは、風の音、キツツキや雨の音、お化けやオオカミの音で楽しみましょう。

アレンジ　もう煮えたのあと、「戸棚にしまってガーチャガチャ　お風呂に入ってゴーシゴシ　ご飯を食べてムーシャムシャ　はみがきしてシュッシュッシュ　お布団しいておやすみなさい」と続け、最後のやり取りにつないでもいいでしょう。

みんなであそぼう

みんなであそぼう

おかたづけ

CD 57

ちっとも楽しくないおかたづけが、うんと楽しくなる魔法の遊びうた。でも、大人の都合だけ出なく、子どもの気持ちにそった使い方が大切ですね。

1番

1 おかたづけ

拍手を3回して両手を開く。

2 おかたづけ

1と同じ。

3 さあさ

右手を横に開く。

4 みんなで

左手を横に開く。

5 おかたづけ

1と同じ。

作詞・作曲不詳

おかたづけ　おかたづけ　さあさみんなでおかたづけ

♪おかたづけ　おかたづけ　さあさ　みんなで　おかたづけ
♪いかがでしょう　いかでしょう　おもちゃはきれいに　なったかな
♪きれいです　きれいです　おもちゃはきれいに　かたづいた

2番
6 いかがでしょう　いかでしょう　おもちゃは　きれいに　なったかな
大人が歌ってたずねる。

3番
7 きれいです　きれいです　おもちゃはきれいに　かたづいた
子どもたちが拍手をしながら歌って答える。

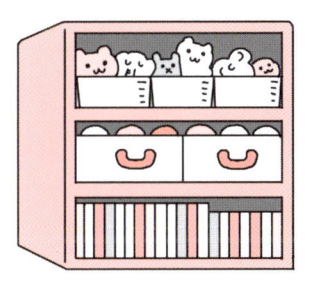

0〜3歳児　　4〜5歳児

	0〜3歳児	4〜5歳児
😊 遊びかた	子どもたちが片付けも遊びと思えるように、楽しくうたいながら片づけをしましょう。	1番だけを、片付けるきっかけのテーマソング的な使い方にするのもいいですね。
👀 ポイント	0〜1歳児では大人がうたいながら片付けてやり、徐々に一緒にできるように導きましょう。	徐々に、片付けると気持ちがいい、次の準備に片付けが必要、と気付くようにし導きましょう。
😄 アレンジ	生活の歌は使い方を誤ると、条件反射的になって、子どもたちのやる気や主体性、創造性などをそいでしまう場合もあります。大人の見極めと子ども気持ちを大切にしながら、いつも励ましや承認、賞賛のことばをそえてあげましょう。	

みんなであそぼう

みんなであそぼう

おせんべやけたかな

CD 58

かわいいおせんべいがいくつも並びました。遊びが始まりますが、とてもいい光景ですね。家族で遊べば、大きなおせんべいや中くらい、小さなおせんべい、シワシワせんべいやふっくらせんべいも焼けますよ。

準備

みんなで輪になり、両手の甲を前に出す。リーダーは左手の甲だけ出す。

1 おせんべやけたか

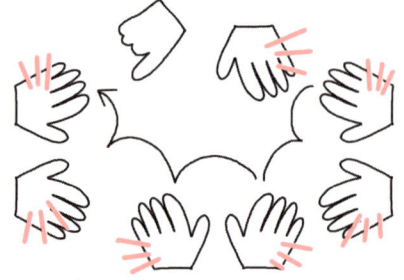

リーダーは歌に合わせ、右手人差し指で順番に手の甲に触れていく。

2 な

「な」にあたった人は手のひらを上に返す。

3 おせんべやけたかな

手のひらを上に返してから「な」にあたった人（2回目）は、食べるふりをしてその手を引っ込める。

わらべうた

♪おせんべ やけたかな

おせんべ やけたかな

最後まで残った人が負けで、次の遊びのオニになるなどと決めて遊ぶと楽しい。

	0〜3歳児	4〜5歳児
😊 遊びかた	0〜1歳児は抱っこして遊んでもいいでしょう。2枚のおせんべいでも愛情がこもります。	4〜5人だと、ちょうどいい遊びになります。表裏焼けたらあがりです。食べてみましょう。おいしいですよ。
😊 ポイント	2〜3歳児は、2〜3人の子を集めて、大人が焼いてあげます。焼けたら自分で食べます。	焼き始めをいつも自由な場所からのルールにすると、予想しにくくなって盛り上がります。
😊 アレンジ	いつも輪になって遊ぶのではなく、横1列になって遊んでみましょう。10人、20人、何人でもOKです。動きやスピード感があって、いつもと違った楽しみが味わえます。大人数のときには、焼き手を2人にしてもいいでしょう。	

みんなであそぼう

みんなであそぼう

鬼のパンツ

CD 59

どこまでも明るくて愉快な歌遊びです。動作がユーモラスで子どもから大人まで楽しめます。遊び終えたあとは、♪はこう はこう おにの パンツ… が、いつまでも耳に残りますよ。

1 おにの 
両手で鬼のつの。

2 パン 
拍手を1回。

3 ツは 
両手でチョキ。

4 いい 
OKマーク。

5 パン
2と同じ。

6 ツ
3と同じ。

7 つよいぞ つよいぞ 
ガッツポーズで右、左のかかとをつける。

8 とらのけがわでできている 
おなかに円を描く。

9 つよいぞ つよいぞ 
7と同じ。

10 ごねん 
右手をパー。

11 はいても 
パンツをはく。

12 やぶれない 
両手を左右にクロスさせる。

13 つよいぞ つよいぞ 
7と同じ。

14 じゅうねん 
両手をパー。

作詞不詳　作曲：L.デンツァ

♪おにのパンツはいいパンツ つよいぞ つよいぞ トラのけがわでできている つよいぞ つよいぞ ごねんはいても やぶれない つよいぞ つよいぞ じゅうねんはいても やぶれない つよいぞ つよいぞ　はこうはこう おにのパンツ　はこうはこう おにのパンツ　あなたもわたしも わたしもあなたも　みんなではこう おにのパンツ

15 はいても やぶれない
11、12と同じ。

16 つよいぞ つよいぞ
7と同じ。

17 はこうはこう おにのパンツ はこうはこう おにのパンツ
11、1〜3を2回。

18 あなたもわたしも わたしもあなたも
指差していく。

19 みんなで
どんどん指していく。

20 はこう おにのパンツ
11、1〜3と同じ。

0〜3歳児　　4〜5歳児

😊 遊びかた	一人二人よりも、大勢で遊ぶ方が楽しいでしょう。それは、低年齢児はまねっこで参加することになりますが、お兄さん・お姉さんのパワーあふれる遊びの雰囲気に、すっぽりとつつまれるからです。全身で大きな刺激を受けます。
😮 ポイント	最初はゆっくり遊びますが、あまり動作の正確さを求めなくていいでしょう。リズムに乗って、楽しく遊ぶことが一番です。遊んでいくうちに、だんだんと身振りに気を配れるようになります。
😄 アレンジ	「つよいぞ　つよいぞ」がたくさん出てきます。その歌詞を抜いて遊んでみましょう。この部分だけうたわずに動作だけでつなぎます。それができたら、難しくなりますが、「おにのパンツ」も抜いてみましょう。

みんなであそぼう

みんなであそぼう

かごめかごめ

CD 60

懐かしいわらべうた遊びが、広場や路地から聞こえなくなって久しくなりました。「かごめかごめ」もそのひとつ。だからこそ、大人が一緒に遊んであげることが大切なんですね。

1 かごめかごめ　かごのなかのとりは　いついつでやる
よあけのばんに　つるとかめがすべった　うしろのしょうめん

目隠しをしたオニの周りを、みんなで手をつないで回る。

2 だーれ

手を離してすわる。

3 ○○ちゃん！

オニは後ろにいる人の名前をあてる。
あたったらその人がオニになる。

わらべうた

♪かごめかごめ
かごのなかのとりは
いついつでやる
よあけのばんに
つるとかめがすべった
うしろのしょうめん
だーれ

オニが名前をあてられなかったら、1〜3を反対回りにくり返す。

| 0〜3歳児 | 4〜5歳児 |

😊 **遊びかた**　幼児の場合、後ろの子を予測して当てるのはとても難しいので、どんどんヒントを出してやりましょう。後ろの正面になった子が、オニの子の名前を読んでみます。それでも当たらなかったら好きな遊びをヒントで出したりします。

😮 **ポイント**　ある程度当たらないと、子どもたちは遊びの楽しさが実感できませんから、最初のうちは特に、タイミングよくヒントを出してあげましょう。5歳児くらいになると目を隠す前にメンバーをよく見て勘を働かせることができるようになります。

😄 **アレンジ**　3、4人グループくらいの「ミニかごめかごめ」でも遊んでみましょう。こちらのほうはノーヒントで、当たるまで回ります。確率が高く当たるので、オニになるのを楽しみにします。

みんなであそぼう

みんなであそぼう

かわのきしのみずぐるま

CD 61

きれいなタイトルの遊びですが、遊びそのものはペアになれなかった子がオニになるのですから、厳しい世界です。だからハラハラ、ドキドキで楽しいのでしょう。

1 かわのきしの　みずぐるま　ぐるっとまわって
いそいでふたりづれ　のこりはおによ

手をつなぎ輪になって、右へ8歩、左へ8歩…と歩く。

2 いちにっさん

二人組になってすわる。

わらべうた

♪かわのきしの　みずぐるま　ぐるっとまわって　いそいで
　ふたりづれ　のこりは　おによ　いちにっさん

3 かわのきしの…

オニになった人は輪の中に入って、1からくり返す。

	0～3歳児	4～5歳児

😊 遊びかた	10人以上くらいで輪になり、楽しくうたいながら遊びます。最初は奇数のほうがいいので、偶数のときは、大人が入りましょう。2人組になれなかった子は、円の中心（水車の軸）に入り、次のチャンスを待ちます。
😮 ポイント	遊びに慣れたら、手をつないでいる両隣の人とは2人組にはなれない、円の中心で待つ子は腰を下ろして待つ、などのルールを子どもたちと決めて遊んでみましょう。
😄 アレンジ	♪いそいで　ふたりづれ　のところを、最初の遊びで中に入った子がオニとなり、「さんにんづれ」「よにんづれ」と決めて遊んでも楽しいでしょう。遊びの人数が多ければ多いほど盛り上がります。

みんなであそぼう

みんなであそぼう

ことしのボタン

CD 62

言葉のキャッチボールが楽しい、劇遊び的なオニごっこです。わらべうたそのものは、これから始まる本展開の序奏的な役割がありますね。

1 ことしのぼたんは　よいぼたん

みんなは手をつなぎ、輪になって回る。オニは輪の外にいる。

2 おみみをからげて

手を離し、両耳のわきで人差し指をくるくる回す。

3 スッポンポン

両手をこするように3回打つ。

わらべうた

♪ことしのぼたんは　よいぼたん　おみみを　からげて　スッポンポン
　もひとつおまけに　スッポンポン　だれかさんのうしろに　へびがいる

4 もひとつ
　　おまけに

2と同じ。

5 スッポンポン

3と同じ。

6
オ ニ「入れて」　　みんな「いやよ」
オ ニ「どうして」　みんな「どうしても」
オ ニ「海へつれていってあげるから」
みんな「海ぼうずがいるからいや」
オ ニ「山へ連れていってあげるから」
みんな「山ぼうずがいるからいや」
オ ニ「じゃあ、家の前を通ったらてんびん棒で打つから」
みんな「大きいの、小さいの」
オ ニ「大きいの」
みんな「じゃあ、入れてあげる」

オニとみんながかけ合いをする。
オニを入れて1〜5をくり返す。

7
オ　ニ「もう、かえる」
みんな「どうして」
オ　ニ「ゆうごはんだから」
みんな「ゆうごはんのおかずはなあに」
オ　ニ「へびとかえる」
みんな「いきてるの、しんでるの」
オ　ニ「いきてるの」
みんな「うわあ、こわい。じゃあ、さようなら」

8 だれかさんのうしろに
へびがいる

歩き出すオニの後をみんながついていく。

9 オ　ニ「わたし」（振り返る）
みんな「ちがう」

8、9を数回くり返す。

10 オ　ニ「わたし」
　　　みんな「そう！」

みんなは一斉に逃げ、オニが追いかける。

11

オニ

つかまった人は、次のオニになる。

	0～3歳児	4～5歳児
😊 遊びかた	オニごっこまでに、「ことしのぼたん」の遊び、オニ「いれて」のやりとり、再び「ことしのぼたん」の遊び、オニ「もうかえる」、♪だれかさんの　うしろに…　とオニとのやりとり、そのあとの「そう」で追いかけオニが始まります。	
😮 ポイント	「あぶくたった」も含めて、このような遊びは、子ども社会の縦のつながりの中で伝わってきたものですが、今の社会では難しいので、4～5歳児の中に低年齢の子も入れてもらって遊ぶと伝わりやすくなりますね。	
😁 アレンジ	これだけボリュームのある遊びです。アレンジというよりも一緒に遊びながら、子どもたちの遊びのへの参加のしかた（縦割り）や、わかりにくいところへの助言をしあげるとよいでしょう。	

みんなであそぼう

みんなであそぼう

ずいずいずっころばし

CD 63

オニ決めの遊びです。むかしの子どもたちは、余裕がありました。遊び心もたくさん持ち合わせていたのでしょう。生活していくのに必要な間（ま）が、遊びの中にも感じられます。

1 ずいずいずっころばし…

オニは歌に合わせて順番に、みんなのこぶしの中に右手人差し指を入れていく。

2 だーれ

「だーれ」にあたった人は、こぶしを下ろす。

わらべうた

♪ずいずいずっころばし ごまみそずい ちゃつぼにおわれて とっぴんしゃん ぬけたらどんどこしょ たわらのねずみが こめくってチュウ チュウチュウ チュウ おとさんがよんでも おかさんがよんでも いきっこなしよ いどのまわりで おちゃわんかいたのだーれ

早くこぶしを下ろした人が勝ちで、最後に残った人は次のオニになるなどと決めて遊ぶと楽しい。

0〜3歳児　　4〜5歳児

😊 遊びかた	楽しい歌ですからみんなでうたいながら遊びましょう。オニは手の輪のところに軽く入れて順に回します。両手が早くなくなって抜けた人の勝ち。最後まで残った人が次のオニです。
😮 ポイント	5〜6人が輪になって遊びます。その中でオニを1人決めますが、オニも片手で輪を作り参加するのもいいでしょう。みんなができるだけ中心に集まって手を前に出します。
😁 アレンジ	早く抜けると長く待ちますから、あがった人から勝利のポーズを取ってもらっても楽しいでしょう。最後まで残った人は、残念のポーズを取ります。0〜1歳児も、抱っこした子の拳をさわって遊ぶことができます。

みんなであそぼう

みんなであそぼう

セブンステップス

CD 64

楽しいフォークダンスの曲で遊びましょう。簡単でかわいらしい曲ですから、3歳児後半くらいから遊べます。みんなとふれ合って遊んだあとは、とても幸せな気分になりますね。

1 ワンツースリーフォー ファイブシックスセブン

両手をつないで右に回る。

2 ワンツースリーフォー ファイブシックスセブン

左に回る。

3 ワンツースリー

ひざを3回たたく。

4 ワンツースリー

手拍子を3回する。

アメリカ民謡

♪ワンツースリーフォーファイブシックスセブン　ワンツースリーフォーファイブシックスセブン
　ワンツースリー　ワンツースリー　ワンツースリーフォーファイブシックスセブン

5 ワンツースリーフォーファイブシックスセブン

相手と両手のひらを7回合わせる。

0〜3歳児　　4〜5歳児

☺ 遊びかた	2人組でうたいながら遊びます。最後まで踊ったら、自由にパートナーを変えて遊びましょう。慣れてきたら二重円になって遊ぶと、1人ずつずれて踊ることができます。
☺ ポイント	遊ぶ前に「相手のお顔を見て、こんにちは、よろしくね。と言う気持ちで楽しく遊びましょう」こんな声かけがあると、子どもたちの表情がより明るくなって楽しく踊れることでしょう。
☺ アレンジ	2人組で遊びはじめますが、4人組、8人組と人数を増やしていくと、最後には大きなひとつの輪になりますね。2人以上のときの最後の手合わせは、両隣の人と行います。

みんなであそぼう

みんなであそぼう

てをたたこう

DVD 33 / CD 65

♪てを　たたこう（ポン）てを　たたこう（ポン）…と、やさしい気持ちで参加できるうたです。呼びかけに拍手で応えるという遊びですから、集会やみんなの気持ちをそろえたいときにピッタリの歌遊びです。

1番
1 てをたたこう（ポン）　てをたたこう（ポン）
　　みんないっしょに　てをたたこう（ポン）

ポン

歌詞の一番は休符のところで手を1回ずつたたく。

2番
2 ひとつたたこう（ポン）

ポン

2番は歌詞に合わせて手をたたく数を増やす。最初は1回。

3 ふたつたたこう（ポンポン）

ポン　ポン

2回たたく。

作詞・作曲不詳

♪てをたたこう（ポン）　てをたたこう（ポン）　みんないっしょに　てをたたこう（ポン）

♪ひとつたたこう（ポン）　ふたつたたこう（ポンポン）　こんどはみっつ　たたきましょう（ポンポンポン）

4 こんどはみっつ たたきましょう（ポンポンポン）

ポン　ポン　ポン

3回たたく。

	0〜3歳児	4〜5歳児
遊びかた	子どもたちに　♪ひとつたたこう　♪ふたつたたこう　と、呼びかけをします。子どもたちは、それに応えて手拍子を打ちます。最後、「こんどはみっつ　たたきましょう」の代わりに「こんどはたくさん　たたきましょう」と、締めくくることもできます。	
ポイント	最初はゆっくり遊びます。だんだんテンポを速くして遊ぶこともできますが、遊びが壊れてしまわないように注意しましょう。速くして遊んだ場合は、最後はゆっくり遊ぶと呼吸が整います。	
アレンジ	♪あしをならそう…　や、♪ゆびをならそう…　♪はなびをあげよう（ドーンと言いながら打ち上げる動作をする）　などでも遊んでみましょう。楽しさがどんどん膨らみます。	

みんなであそぼう

みんなであそぼう

どんどんばし

CD 66

橋渡りの遊びです。「ロンドン橋」と同じ遊び方ですが、こちらの「どんどんばし」は、橋が落ちるのではなく、さあ渡れと促してくれています。

準備

二人が手をつないで高く上げ、橋を作る。

---

1 どんどんばし わたれ さあ わたれ
こんこが でるぞ

みんなは橋の下を順番にくぐる。

わらべうた

♪ どんどんばし わたれ さあ わたれ
　こんこが でるぞ さあ わたれ

2 さあ わたれ

「れ」で橋を下ろしたときに、かかってしまった人が橋に代わる。

	0〜3歳児	4〜5歳児
😊 遊びかた	2人が両手をつないで橋を作ります。ほかの子はうたいながら1列で橋をくぐります。普通に歩くテンポで遊びましょう。何回か繰り返した歌の最後で橋を降ろし、かかった人が次の橋になります。10人くらいの人数が遊び易いでしょう。	
😊 ポイント	楽しく弾むようにうたいながら遊びましょう。途中で何回か橋を落とすポーズもあると、遊びが盛り上がります。	
😆 アレンジ	最後の橋を落とすときに ♪こんこが でるぞ さあわたれ（クショーン！）と、くしゃみを入れて落とすと、メリハリがきいてわかりやすくなります。	

みんなであそぼう

みんなであそぼう

ひらいたひらいた

CD 67

5～6人で遊ぶと楽しいわらべうた遊びです。手をつないで輪になって遊ぶ形が多いのは、きっと人の輪の大切さを考えたからでしょう。気持ちを込めて遊びましょう。

---

1 ひらいたひらいた
なんのはなが　ひらいた

みんなで手をつなぎ、輪になって回る。

2 れんげのはなが
ひらいた

輪をだんだん広げていく。

---

3 ひらいたと
おもったら

輪を小さくつぼめる。

4 いつのまにか
つぼんだ

腰を下ろす。

わらべうた

♪ひらいたひらいた　なんのはながひらいた　れんげのはなが
ひらいた　ひらいたとおもったら　いつのまにか　つぼんだ
2番：つぼんだつぼんだ　つぼんだ　つぼんだ　つぼんだ　ひらいた

5 つぼんだつぼんだ　なんのはながつぼんだ
れんげのはなが　つぼんだ　つぼんだとおもったら

6 いつのまにか
ひらいた

歌詞に合わせて輪の大きさを変える。

輪をいっぱいに広げる。

0～3歳児　　4～5歳児

😊 遊びかた	輪になって手をつなぎ、優しい気持ちでうたいながら遊びます。左右に歩いたり、つぼんだり、しゃがんで表現したりの遊びですが、繰り返して遊んでいると、気持ちが落ち着いていい気分になります。
😮 ポイント	特別にテンポを変えたりせずに、自分のうたっている声や友達の声を聞きながら遊びましょう。
😄 アレンジ	遊びを特別にアレンジしようと考えるよりも、遊びの持っている世界にタップリ浸ってみましょう。たくさん遊んだら、レンゲの花の写真みたり、本物の花みたりして感想を話し合ってみましょう。

みんなであそぼう

曲名さくいん

あ
- あおむしでたよ　018
- あがりめさがりめ　082
- あじのひらき　050
- あたまかたひざポン　084
- あたまてんてん　086
- あなたのおなまえは　146
- あぶくたった　148
- アルプス一万尺　088

い
- いちにさん　020
- 1丁目のドラねこ　024
- いっぴきの野ねずみが　022
- 1本橋こちょこちょ　092
- 一本ばし二本ばし　006
- いとまき　052

お
- おおきなくりのきのしたで　054
- おかたづけ　150
- おせんべやけたかな　152
- おちたおちた　114
- おちゃらか　094
- おてんきジャンケン　116
- お寺のおしょうさん　096
- 鬼のパンツ　154
- おはなのすべりだい　100
- おべんとうばこのうた　056

か
- かごめかごめ　156
- かわずのよまわり　058
- かわのきしのみずぐるま　158

き
- きんぎょさんとめだかさん　060

く
- グーチョキパーでなにつくろう　118

け
- げんこつ山のたぬきさん　122

こ
- ことしのボタン　160
- こどもとこどもがけんかして　026
- コロコロたまご　028
- コンちゃんがばけたとさ　062
- ごんべさんの赤ちゃん　124

し
- 正月さんのもちつき　126

す
- ずいずいずっころばし　164

せ
- セブンステップス　166

た
- だいくのキツツキさん　130
- だるまさん　132

ち
- 小さな庭　064
- チェッチェッコリ　134
- ちゃつぼ　136
- ちょちちょちあわわ　010

て
- てをたたこう　168
- とうさんゆびどこです　032

と
- どどっこやがい　102
- とんがり山のてんぐさん　012
- とんとんとんとんひげじいさん　068
- どんどんばし　170

な
- なかよしさん　034
- なぞなぞむし　138
- なべなべそこぬけ　104

ね
- ねこのこ　008

の
- のぼるよコアラ　070

は
- はじまるよはじまるよ　036
- 八べえさんと十べえさん　040
- パンパンサンド　072

ひ
- ピクニック　042
- ピコピコテレパシー　140
- ピヨピヨちゃん　142
- ひらいたひらいた　172

ほ
- ぼうずぼうず　106

ま
- まあるいたまご　074

む
- むすんでひらいて　046

や
- 八百屋のお店　014
- 山小屋いっけん　078

ゆ
- ゆらゆらタンタン　108

歌詞さくいん

あ
- あがりめさがりめ　　　　082
- あたまかたひざポン　　　084
- あたまてんてん　　　　　086
- あっちからなぞなぞ　　　138
- あなたのおなまえは　　　146
- あぶくたったにえ　　　　148
- アルプスいちまんじゃく　088

い
- いちにさんにのしの　　　020
- いっちょめのどらねこ　　024
- いっぴきののねずみ　　　022
- いっぽんばしいっぽんばし　006
- いっぽんばしこちょ　　　092
- いとまきまきいとまき　　052

お
- おいしいものはまる　　　140
- おおきなくりのきの　　　054
- おかたづけおかたづけ　　150
- おせんべやけたかな　　　152
- おちたおちたなにが　　　114
- おちゃらかおちゃらか　　094
- おてらのおしょうさん　　096
- おとうさんとおかあさん　034
- おにのパンツはいい　　　154
- おはなのすべりだい　　　100

か
- かごめかごめ　　　　　　156
- かわずのよまわり　　　　058
- かわのきしのみずぐるま　158

き
- キャベツのなかから　　　018
- きょうのおてんき　　　　116
- きんぎょさんとめだか　　060

く
- グーチョキパーで　　　　118

け
- げんこつやまの　　　　　122

こ
- ことしのぼたんは　　　　160
- こどもとこどもが　　　　026
- ごほんといっぽんで　　　042
- これくらいのおべんとう　056
- コロコロたまごは　　　　028
- コンコンコン　　　　　　062
- ごんべさんの　　　　　　124

し
- しょうがつさんの　　　　126

す
- ずいずいずっころばし　　164
- ズンズンチャチャ　　　　050

た
- だるまさんだるま　　　　132

ち
- ちいさなにわを　　　　　064
- チェッチェッコリ　　　　134
- ちゃちゃつぼ　　　　　　136
- ちょちちょちあわわ　　　010

て
- てをたたこう　　　　　　168

と
- とうさんゆびどこです　　032
- どどっこやがい　　　　　102
- とんがりやまのてんぐ　　012
- とんとんとんとんひげ　　068
- どんどんばしわたれ　　　170

な
- なべなべそこぬけ　　　　104

の
- のぼるよのぼるよ　　　　070

は
- はじまるよったら　　　　036
- はちべえさんと　　　　　040

ひ
- ピヨピヨちゃん　　　　　142
- ひらいたひらいた　　　　172

ふ
- ふんわりパンふんわり　　072

ほ
- ぼうずぼうずひざ　　　　106

ま
- まあるいたまごが　　　　074

み
- みどりのもりかげに　　　130

む
- むすんでひらいて　　　　046

や
- やおやのおみせに　　　　014
- やまごやいっけん　　　　078

ゆ
- ゆらゆらタン　　　　　　108

わ
- わたしはねこのこ　　　　008
- ワンツースリー　　　　　166

編著者　**阿部 恵**（あべ　めぐむ）

道灌山学園保育福祉専門学校保育部長、道灌山幼稚園主事。保育の現場での経験を生かし、幅広い分野で活躍。『いつでもそばに保育絵本の楽しみ』（フレーベル館）、『パネルシアターどうぞのいす』（チャイルド社）、『たのしいコミュニケーション手遊び歌遊び』（明治図書）、『バスの中が楽しくなるわいわいバスレクアイデア集』（学習研究社）など、著書多数。

STAFF
装丁＆本文デザイン／村手景子
本文イラスト／竹内いつみ　イナバマオ　池田かえる　さとうひろこ
本文モデル＆DVD出演・CD歌／田中佳奈（オフィス・トキ）
子供モデル／山田剛毅　種美藍　山田飛龍
写真撮影／永福尚史
ヘアメイク／たなかけいこ
DVD制作／平賀重行（レバンテ）
CD制作／小倉祐一
音楽協力／佐藤千賀子
編集協力／リュクス
編集担当／原智宏（ナツメ出版企画）

DVD+CD たのしい手あそびうた

2017年3月20日発行

編著者　　　阿部 恵　ⒸAbe Megumu, 2008

発行者　　　田村正隆

発行所　　　株式会社ナツメ社
　　　　　　東京都千代田区神田神保町1-52 ナツメ社ビル1F（〒101-0051）
　　　　　　電話　03-3291-1257（代表）　　FAX　03-3291-5761
　　　　　　振替　00130-1-58661

制　作　　　ナツメ出版企画株式会社
　　　　　　東京都千代田区神田神保町1-52 ナツメ社ビル3F（〒101-0051）
　　　　　　電話　03-3295-3921（代表）

印刷所　　　図書印刷株式会社

ISBN978-4-8163-4480-0
Printed in Japan
JASRAC 出0803683-724

JASRAC V-1004758
JASRAC R-1120566

ナツメ社Webサイト
http://www.natsume.co.jp
書籍の最新情報（正誤情報を含む）は
ナツメ社Webサイトをご覧ください。

〈価格はカバーに表示しています〉
〈落丁・乱丁本はお取り替えします〉